UNION GENERALE D'EDITIONS
8, rue Garancière, Paris VIe

LA PHILOSOPHIE DES PROFESSEURS

par
FRANÇOIS CHATELET

10|18

EDITIONS BERNARD GRASSET

AVANT-PROPOS

En France, la philosophie est une institution dont on s'enorgueillit volontiers. Son enseignement y est délivré dans les lycées et collèges ; il est même traditionnellement considéré comme le couronnement des études secondaires littéraires ; les scientifiques eux-mêmes, les futurs médecins n'en sont point dispensés. Cela va jusqu'aux classes préparatoires aux grandes écoles comme Normale Sciences, Polytechnique, Centrale ou les Hautes Etudes commerciales où, sous le nom de « culture générale », c'est bien souvent des auteurs philosophiques qu'on propose à la réflexion des candidats. Une telle situation ne peut manquer d'influer sur la place qu'occupe la philosophie dans l'enseignement supérieur et, plus généralement, dans l'idéologie française. Dans la plupart des pays, en effet, la discipline philosophique, malgré sa prétention (ou vocation) à l'extrême généralité, dans la mesure où elle correspond à un choix postérieur aux examens équivalant au baccalauréat, apparaît comme étant déjà une spécialisation. En Angleterre, en Allemagne, aux U.S.A., l'étudiant décide d'être philosophe; en France, l'élève qui entre dans la machine secondaire le sera nécessairement, peu ou beaucoup. Dès lors, ici, le vocabulaire philosophique et les modes de pensée que celui-ci véhicule entrent, pour ainsi dire, dans les mœurs : ils y demeurent comme survivance. Ils envahissent normalement les journaux et la presse parlée. Ils constituent le style d'expression régulier de l'opinion commune.

Quelle philosophie, objectera-t-on ? N'est-il pas bien entendu que le domaine philosophique est celui du conflit, des multiples écoles qui s'affrontent, qu'il y a des idéalistes et des réalistes, des matérialistes et des sipiritualistes, des rationalistes et des empiristes ? Un des buts de cet essai, qui pourrait être considéré, s'il touchait sa cible, comme une introduction à une recherche plus vaste et plus précise sur la fonction idéologique pratique des genres culturels, est précisément de montrer que l'enseignement de la philosophie — et surtout celui-là, parce qu'il est institué comme couronnement et qu'il se veut situé dans l'extrême généralité — crée un état d'esprit, une situation intellectuelle tels que ces oppositions s'estompent, qu'elles deviennent des affaires d'école et, bientôt, des chapitres de manuels et des questions de cours.

La philosophie fonctionnant comme institution d'un Etat qui, comme tel, ne saurait être effectivement neutre, a un rôle. Quelle que soit la complexité des réseaux historiques par lesquels cette institution s'est développée — ce serait l'objet d'une autre étude —, elle a, aujourd'hui, une place et une signification réelles, qu'il y a à connaître. Un autre objectif de ce texte sera d'analyser comment peu à peu, depuis Napoléon III, probablement, et surtout, dans les débuts de la IIIe République, s'est mise en ordre cette philosophie universitaire, qui se donne maintenant dans le libellé des programmes, dans les circulaires ministérielles ou académiques ponctuant ces derniers et, surtout, dans les manuels scolaires qui, par un compromis entre le pédagogique et le commercial, en expriment le contenu et le sens.

L'affaire est compliquée, si compliquée qu'on serait tenté de la simplifier par un traitement ironique, du genre de celui qu'a administré Roboald Marcas. Mais l'ironie, serait-elle pénétrante, ne suffit pas. On ne détruit pas aussi aisément la neutralité superbe et bienveillante que vise à définir l'ordre philosophique. Celui-ci admet aussi l'ironie critique ; il se complaît dans l'humour qui le questionne ; il y voit une preuve supplémentaire de sa puissance ; s'étant institué dans la contestation, toute contestation devient sienne. Le problème posé est donc bien celui de la vocation-prétention à la neutralité de la philosophie dans sa pratique académique. Ce qu'il y a à étudier, c'est la technique par laquelle celui-ci parvient à faire croire à cette neutralité ; c'est surtout ce qu'elle masque, de la sorte, d'engagement idéologique.

Bref, il s'agit d'abord de critiquer résolument l'enseignement actuel de la philosophie tel qu'il est défini institutionnellement, afin de mettre au jour sa place et sa fonction dans la lutte politique et, pour ce faire, de définir les moyens qu'il utilise.

Surgit aussitôt la tentation de la radicalité ; c'est-à-dire, en cette affaire, de la simplification excessive. Sans doute ne serait-elle pas sans justification. La suite montrera, espère-t-on, comment l'académisme en philosophie a poursuivi, patiemment et, de toute évidence, sans le savoir, avec la meilleure conscience du monde, une entreprise ronronnante d'égalisation qui, non seulement, met au même niveau d'intérêt les diverses parties du programme de 1925 (division abolie dans les textes ministériels, mais qui subsiste dans les faits), mais encore fait comparaître avec une même et désolante « objectivité », devant le tribunal d'un bon sens supérieur, Marx et Nietzsche entre Plotin et Teilhard de Chardin ; comment il a accrédité l'idée qu'au sein des disciplines scolaires et universitaires, la philosophie possède, comme telle, une supériorité naturelle, qu'elle est en droit de juger de tout et du reste (et indéfiniment d'elle-même), qu'elle a, par exemple, les privilèges de la science sans en avoir les servitudes, comme elle a les beautés des « lettres », sans se compromettre en ses incertitudes ; comment la philosophie est le lieu des énigmes résolues, des secrets transparents, des évidences que tous possèdent et qu'aucun, jusqu'à elle, n'a su voir ; comment celui qui l'enseigne est une sorte de sorcier honnête et rigoureux, un thaumaturge qui reçoit ses informations de source sûre, un professeur qui sait ce que pédagogie veut dire...

Et il est de fait que l'enseignement philosophique, dans les classes terminales du secondaire, présente bien cet aspect de bonhomie supérieure et intègre. Les cours de philosophie, s'ils sont ressentis par les élèves comme un pensum, dans la mesure où ils correspondent à un examen, où il y a à apprendre des « questions de cours » auxquelles on n'entend pas grand-chose, exercent, généralement, une vraie fascination. Même si l'on s'ennuie, si l'on soupçonne la futilité des problèmes posés, on croit voir définies en termes plus rigoureux, plus sereins, pour ainsi dire sous la garantie de l'Etat, les questions qui, de temps à autre, surgissent à la table familiale ; qui constituent l'essentiel de la fameuse « inquiétude des adolescents » ; qui circulent abondamment dans les prix Goncourt ; qui rappellent celles qu'on résolvait allégrement, quelques années auparavant, au catéchisme : la fin dernière de la vie, l'amour, la mort, la nature, la création...

L'enseignement philosophique ferme une boucle : au tout début de la puberté de ceux qu'elle doit former, l'opinion dominante, pour ne pas avoir à affronter des problèmes et des solutions réels, suscite, par le biais des religions, religieuses ou laïques, des interrogations qu'elle résout aussitôt : le verbiage catéchistique intègre le désir à Dieu, les conflits de classes (ou de générations) aux remèdes de la charité (ou de la fraternité). La contrainte aidant, l'adolescent sait s'en contenter : il apprend des techniques qui feront bientôt de lui un (e) jeune homme (fille) normal (e) — ou au moins prêt (e) à la normalité. Il n'en pense pas moins, déchiré, entre Lamartine et la « Série noire », le cours de sciences naturelles et ses envies concrètes. Lorsque la contradiction devient insupportable, survient cette panacée qu'est la classe de philosophie. Sans doute, le ton monte, mais la tension baisse... On y reparle de Dieu et de la charité (fraternité, et même, solidarité), mais aussi, savamment, du désir et de la lutte des classes ; on y reçoit le roman policier, serait-il dans la

« vulgarité ». Une structure d'accueil est construite... Dans un cours bien fait de classes « terminales », tout devrait trouver sa place : des connaissances sexuelles précisément dosées, à l'épistémologie des mathématiques, en passant par l'information politique sérieusement réfléchie.

Ainsi se construit le discours de l'« objectivité » : par le moyen de la philosophie (de ce qui est imputé comme étant philosophique), se détermine un domaine spécifique d'intégration où chacun et son contradicteur se retrouvent comme éléments correctement placés d'une joute abstraite : Dieu et Freud y sont face à face, poliment, comme Herbart et William James. Disons, pour paraphraser Marx, que s'imposent ainsi un nouveau « compendium encyclopédique », un nouvel « arôme spirituel »... L'enseignement de la philosophie engendre ce style composite, abstrait et pompeux, caractéristique de nos « meilleurs » journaux, promoteurs de l'universalisme néo-humaniste. Ne négligeons pas Dieu, mais pensons aux H.L.M. ; l'intuition cartésienne, bien sûr, mais qu'en est-il de l'objection logicienne de Leibniz ? le concept marxiste de plus-value en dit long, mais est-il opératoire ? que serait le désir sans le travail (ou inversement) ? des pas sur la Lune, comparés à la survie des enfants africains...

Finissons-en. La lecture des manuels de philosophie pratiquement accrédités, la puissance qui s'y attache effectivement (malgré une certaine résistance de l'administration et celle plus vive des professeurs) donneraient l'occasion d'une attaque à boulets rouges contre tout ce qui se prévaut de l'épithète « philosophique ». Mais il y a plus utile ; plus sérieux, aussi. Car, s'il se trouve que la philosophie scolaire et universitaire s'intègre, comme il convient, dans l'idéologie bourgeoise, il reste qu'elle est, en tant que telle, l'objet d'attaques qui, elles, se situent dans les perspectives plus précisément politiques ; qui sont réactionnaires.

Depuis la Libération, l'enseignement de la philosophie est l'objet, en effet, de réductions progressives. Pratiquement maître du baccalauréat de « philosophie-lettres », partie déterminante dans celui de « sciences expérimentales », partie prenante dans celui de « mathématiques », il y a quelque quinze ans, le professeur du secondaire a vu peu à peu se réduire son empire. Non seulement les « scientifiques » lui font une concurrence grave, mais encore son vieil adversaire, le professeur dit de français le rejoint et l'égale. Dans l'enseignement supérieur, deux des couvées les plus spectaculaires de la grande sagesse ont acquis une indépendance menaçante, la psychologie et la sociologie : une indépendance qui, d'abord, a soustrait des étudiants et des chaires et qui, maintenant, se fait offensive. Tout se passe comme si la mort de la philosophie, annoncée par les derniers grands théoriciens, s'inscrivait dans la réalité institutionnelle, benoîtement, sans drame, comme administrée par l'ordonnance de faits irrécusables...

L'apocalypse théorique que réclamaient, à des titres divers, Marx, Nietzsche ou Freud, prend l'allure sournoise du règlement de compte administratif. Or, dans cette opération, les motivations sont multiples et il importe de les distinguer. Pour ce qui est de l'enseignement de la philosophie au lycée, l'attaque qui vise à en réduire l'importance est franchement et naïvement réactionnaire, au sens le plus constant du terme. Maurice Papon, ci-devant haut fonctionnaire de l'Etat et soutien inconditionnel de tout régime d'ordre, aura beau montrer à ses féaux qu'il faut « faire » dans la philosophie et élaborer, de bric et de broc, un « nouveau discours de la méthode », Roger Garaudy, membre influent du P.C.F. et soutien inconditionnel de tout régime d'ordre, continuera-t-il à penser que ses opérations de propagande doivent prendre la forme et le contenu de la neutralité philosophique, il restera toujours des intégristes (ou des « vieux bourgeois ») pour estimer que le détour philosophique est mauvais, qu'il pose des questions alors que les réponses sont déjà là. En d'autres mots, nombreux (parmi ceux qui, d'une manière ou d'une autre, directement ou par influence, commandent) sont ceux qui considèrent la « classe de philosophie » comme un lieu de perdition. C'est là qu'à leurs yeux, se forment les « contestataires », chez les enseignés et chez les enseignants. De ces gens-là, auraient-ils la voix scientifico-oraculaire du R.P. Teilhard de Chardin, on n'a nul besoin. Pour rédiger un rapport, l'enseignement « littéraire » banal suffit ; et pour construire des autoroutes la physique-chimie classique est plus efficace qu'une réflexion sur les méthodes de Galilée et de Lavoisier.

Selon ces intégristes, l' « arôme spirituel », le « compendium encyclopédique » sont inutiles. L'affaire est déjà jugée. Et si on la règle lentement, c'est pour ménager des habitudes acquises et des corporations remuantes. Le schéma qu'ils acceptent ressortit à celui qu'on attribue généralement au positivisme : de même que, selon une lecture simplifiée d'Auguste Comte, la métaphysique doit disparaître progressivement devant les progrès des sciences positives, de même, aujourd'hui, l'enseignement de la philosophie doit peu à peu s'effacer devant des disciplines plus directement « rentables », comme les mathématiques ou les langues vivantes, par exemple. Ainsi, la situation redeviendra « normale » en France et l'étudiant en philosophie sera ce qu'il convient qu'il soit, un *spécialiste* (serait-ce de l'universel !). A lui accorder trop tôt trop d'importance, on fausse le jeu, on favorise, sous le nom de réflexion ou de spéculation, des opérations de mise en question d'autant plus irresponsables qu'elles sont indéfiniment réitérables ; on donne à tous ceux qui veulent le désordre un terrain privilégié ; et à d'autres qui, sous le prétexte d'exigence théorique, se font les protagonistes de l'inutilité, de dangereux instruments de persuasion.

Ainsi se retrouve, vingt-quatre siècles après, un des éléments de l'argumentation qu'Anytos développait contre Socrate : les prétentions de la philosophie à organiser une sorte de civisme supérieur sont inacceptables pour ceux qui se contentent de vouloir un civisme moyen ; le décalage qu'elles visent à introduire est ferment de détérioration sociale. Ricœur, Garaudy, Althusser, Foucault — comme naguère Saint-Exupéry et Simone Weil et, plus près, Sartre, Merleau-Ponty et Camus — bien sûr. Mais il serait bon, toujours dans cette perspective, que ces têtes qui pensent soient reléguées en leur lieu : celui de la pensée. Et qu'aucun piège, qu'aucun obstacle ne soient placés devant l'adolescent, bien doué et soutenu par sa famille, qui désire, tout simplement, faire sa place dans la société de son temps.

L'aimable liquidation de l'enseignement philosophique — aimable, il le faut bien, mais on pourrait dire aussi : hypocrite — s'organise, de la sorte, autour de thèmes foncièrement réactionnaires. Ce qu'elle définit comme norme, c'est l'intégration pratique à la société donnée. Elle déteste la philosophie — pour inefficace que soit sa contestation. Or, il se trouve qu'elle reçoit un appui qui lui vient de forces fort différentes. Deux des « parties » de la philosophie ont acquis en France, au cours de ces vingt dernières années, une importance majeure : la psychologie et la sociologie. Les rêves de Ribot et de Durkheim se sont réalisés. Il y a désormais des disciplines constituées, psychologique et sociologique, qui ont leurs enseignants, leurs étudiants, leurs laboratoires et leurs instituts. Cela commence dès la première année de l'enseignement supérieur. Une autre contestation de la philosophie, dès lors, surgit, qui n'est point sans rapport idéologique avec celui du positivisme réactionnaire, que nous venons d'analyser brièvement, mais qui a bien d'autres fondements.

Sur le rôle que jouent la psychologie et la sociologie vulgarisées dans l'enseignement philosophique élémentaire et sur le traitement qu'administre l'académisme philosophique à ces disciplines, nous aurons à revenir dans la suite de ce texte. Ce qu'il convient de noter dès maintenant, c'est que la critique de cet académisme et de sa fonction doit tenir compte du fait politico-administratif que la philosophie spéculative ou réflexive est aussi l'objet d'une menace de liquidation de type politique, qui se prévaut de la technicité de la société contemporaine pour invalider toute exigence théorique ; et que cette opération prend, entre autres, pour appui le développement des « sciences de l'homme ». A quoi bon Descartes, Kant ou Hegel, alors qu'il y a Pavlov, Max Weber et Moreno ? Ce qu'on considérait comme lettres de noblesse doit être tenu pour indice de faiblesse.

En d'autres termes et pour résumer la ligne générale qu'indique cette préface, l'objectif de cet essai est, en tout premier lieu, de dénoncer le fonctionnement idéologique de la philosophie scolaire et universitaire telle qu'elle est diffusée généralement dans les classes terminales de l'enseignement secondaire et, de plus en plus, dans les premières années de l'enseignement supérieur ; de montrer comment ce fonctionnement donne le poids de l'institution à de pseudo-concepts qui, désormais, vont fonctionner comme « valeurs » (on appelait cela, il y a trois quarts de siècle, des idées-forces) et constituer le vocabulaire courant de la « culture », celui des « bons » journaux, de la « haute » vulgarisation et, par conséquent, du discours politique classique ; d'analyser l'*expression* de ces pseudo-concepts dans leur texte manifeste — celui des programmes officiels et de leur réalisation : les manuels de philosophie —, afin d'en faire apparaître les significations latentes ; de révéler l'enseignement de la philosophie, en France, comme le lieu où l'opinion dominante trouve, aussi bien dans les moyens de communication de masse que dans les conversations de bon aloi, ses masques, ses arguments et ses prétextes ; de dénoncer cette « neutralité » à laquelle il prétend comme une de ces supercheries auxquelles des siècles d'histoire des religions nous ont habitués, d'une autre manière.

Ce qui va être critiqué, c'est donc l'administration de la philosophie à l'époque où la mort de la pensée spéculative est assurée. Car, au fond, la mort ne compte guère que comme un événement qui dure ; comme on le sait depuis Freud, le meurtre a moins d'importance que la cérémonie funéraire. A enterrer la philosophie comme J.-F. Revel, on suscite des veuves et des orphelins qui font tant de bruit qu'on se trouve en pire posture qu'auparavant ; à la rejeter simplement aux poubelles de l'histoire, comme ce fut le cas il y a quelque vingt ans lorsque la « nouvelle critique », dans la perspective définie par Andrei Jdanov, opposait *science bourgeoise* et *science prolétarienne* et s'abandonnait, en l'appelant « matérialisme dialectique », à un navrant dogmatisme onto-cosmologique ; à considérer, comme c'est fréquemment le cas aujourd'hui et sous le prétexte de « révolution culturelle », toute référence à l'instance théorique comme soumission à l'idéologie petite-bourgeoise, en ces trois cas, on s'expose, avec une grande naïveté *politique,* à alimenter cela qu'on déclare combattre le plus fermement, ce courant réactionnaire, de plus en plus puissant, qui, sachant que l'académisme philosophique est, tout compte fait, le substitut de la religion, lui préfère la religion, comme étant plus sûre et plus efficace (ou, le cas échéant, la police).

Or, il se trouve qu'au sein de l'institution philosophique, dans sa pratique « secondaire » ou « supérieure », par une nécessité dont nous aurons à repérer les mécanismes, les contradictions de la pédagogie bourgeoise s'expriment en des termes moins embarrassés, parce que plus conceptuels peut-être, parce qu'aussi ils doivent s'inscrire dans une tradition critique et que, dès lors, c'est bientôt cette pédagogie qui est mise en question. L'enseignement philosophique reste le lieu empirique, en France, où se signalent le plus clairement et le plus efficacement, alors que continuent à y dominer les entreprises intégratrices et à y fleurir les « contestations » de type anarcho-chrétien (et leur négation abstraite : le bon sens technocrate), les centres de résistance à la bêtise dominante.

Il ne s'agit pas de sauver la philosophie. Elle est morte et il n'y a pas lieu de redonner vie à des figures de musée. Il ne s'agit pas non plus de condamner sans nuance l'activité de milliers d'enseignants. Il importe simplement de démonter — dans une première approche qui devrait être suivie d'autres, plus scientifiques — les techniques par lesquelles, sous le couvert de l'institution, l'idéologie bourgeoise, identiquement « technocratique » et « antitechnocratique », récupère une tradition à son profit et dessine hypocritement une image de l'homme qui — concrètement — la sert et — idéalement — la justifie. C'est un certain respect qu'on vise à détruire ici, le respect pour un passé que l'on dit tout uniment admirable (on se refuse, en effet, à y aller y voir de plus près et à mesurer les effets politiques et sociaux d'une forme de pensée prétendant à l'universelle juridiction ; on reçoit comme allant de soi, alors qu'il y aurait à en évaluer la signification, des « programmes », des modalités d'examens qu'on moque, mais qu'on supporte finalement et qu'on administre).

L'analyse à laquelle cet essai procédera sera seulement descriptive. C'est assez dire que, comme l'objet dont elle traite, elle en restera à l'élémentaire. Elle s'attachera à mettre en évidence les « lieux communs » autour desquels s'organise la philosophie scolaire et universitaire, ces lieux communs qui constituent précisément l'aire culturelle où se développent les journaux « objectifs » et la presse parlée (et regardée) « d'honorable niveau ».

Y aura-t-il une conclusion en forme de remède ? En aucun cas. Aujourd'hui, il n'y a pas de bonne philosophie. Il ne saurait y avoir de correct fonctionnement de l'institution philosophique. Mais il n'y a pas non plus de bonne suppression de la philosophie — qu'elle soit à intention théorique (qui souhaite utopiquement l'ordre rigoureux du concept) ou qu'elle soit à prétention pratique (qui s'adonne, sans contrôle, aux fantasmes de l'activisme ouvriériste). Il y a ce fait, imposé par la lutte des classes mondiale, qu'en ce petit pays, culturellement important, qu'est la France, un secteur privilégié, l'enseignement et sa « pointe », la philosophie, sont désormais objet de « subversion », singulièrement depuis mai-juin 1968.

Cette étude ne sera que symptomatique. En ce lieu de la philosophie, rien ne se joue vraiment ; mais quelque chose se manifeste, qu'il est utile de souligner fortement si l'on ne veut pas que continue à s'exercer — comme étant sans problème — l'escroquerie qui, depuis la seconde moitié du XIXe siècle, confère le droit à des lecteurs assidus et orientés de Platon et d'Aristote, de Descartes, de Kant ou de Hegel, de juger en toute universalité et objectivité et d'acquérir, ainsi, on ne sait quel droit au jugement vrai. D'autres « vérités » cheminent et explosent — qu'aucun livre, si petit ou si rouge soit-il, ne saurait contenir, sinon provisoirement. La pensée scientifique effective se développe autrement : dans la synthèse toujours instable et dysharmonique qui réunit et qui disjoint le travail des concepts et la force des pratiques.

F. C.

INTRODUCTION

L'exposé qui suit n'obéit pas précisément à une méthode. Une ordonnance méthodique supposerait, en effet, que des travaux empiriques aient réussi à isoler l'objet à traiter. Bien évidemment, ce n'est pas le cas. L'académisme philosophique dans sa pratique est un phénomène diffus qu'on retrouve ici et là, tantôt agressif, tantôt modeste, tantôt explicite, tantôt caché. Aucun appareil d'information — et il faut s'en féliciter — ne permet de déterminer la « nature moyenne » des cours de philosophie dans les classes terminales des enseignements public et apparenté. Rien n'autorise à préjuger — et il faut s'en féliciter encore un peu plus — les critères qui interviennent lors de cette ignoble et absurde sélection qu'on appelle « baccalauréat ». L'analyse, qui se veut descriptive, doit en rabattre. Elle doit même se rabattre : sur une pâture médiocre, mais probablement significative. Le matériau de la philosophie élémentaire, celui qui va constituer, dans les *mass media* les plus sérieux, le vocabulaire quasiment assermenté, se trouve dans le libellé des programmes et dans leur réalisation publique : les manuels de philosophie ; ou encore, lorsqu'il s'agit de l'enseignement supérieur, dans les ouvrages de vulgarisation ou dans ces collections pédagogiques qui mettent n'importe quel « sujet » du programme « à la portée » de n'importe quel étudiant.

Aucun enseignement, aucun rédacteur de ce genre de livres, manuels ou textes de vulgarisation, ne se reconnaîtra sans doute dans les analyses qui suivent. Il aura probablement raison. Il ignorera surtout ceci : qu'il y a, dans la transmission pédagogique, quelque chose comme une application du principe d'entropie, mais renforcée. Ce que dit le professeur, qui déjà se châtre, conformément au programme, passe par l'affadissement du manuel (ou de l'« ouvrage de base » recommandé), puis par les simplifications de celui qui le manie — l'élève ou l'étudiant —, pour aboutir au discours débile et moyen qui permet, sauf fautes d'orthographes pléthoriques, d'être bachelier ou licencié de philosophie... Le lecteur des « bons journaux » est déjà là, à pied d'œuvre ; se dessine le télespectateur sagace, qui condamne ceci, mais s'exclame à l'audace de cela.

Pour dire autrement, l'institution philosophique possède ce privilège redoutable de rendre digne l'indignation, critiquable la critique, acceptable l'acceptation ; de tout ramener à l'étiage commun, la religion, l'université, la vie des régions, la politique mondiale ; de tout disposer en colonne par cinq ; de tout comprendre et de tout recevoir ; de définir ce que, désormais, on va appeler l'« objectivité ».

On suivra, sans prétendre à quelque présentation systématique que ce soit, les principaux « lieux communs » dont les termes balisent le domaine de la pensée « neutre », « désintéressée », « objective », « universellement humaine » : il va de soi que ces divers lieux se recoupent et échangent leur argument. On ne les isole ici que pour la commodité de l'exposition.

Précisons que ce travail, en préparation depuis longtemps, a été confirmé dans son projet et a trouvé l'occasion de sa réalisation dans un groupe de recherches réuni par les étudiants de philosophie du Centre universitaire expérimental de Vincennes, au cours de l'année 1968-1969, sur le thème de la critique des manuels de philosophie.

LIEU COMMUN N° I : CONSCIENCE = SUBJECTIVITE = MOI-JE = PERSONNALITE

Le lieu commun premier de la philosophie scolaire et universitaire — la P.S.U., comme il nous arrivera quelquefois de la nommer ici, pour simplifier et sans malice excessive —, celui dans la définition duquel s'organisent, en se chevauchant, tous les autres, c'est sans aucun doute la conscience. Entendons bien le *Je* conscient, le sujet — celui qu'on nommera, un peu plus tard, quand l'élève aura fait « ses classes » et qu'il sera autorisé à accéder aux « vérités » morales et politique, l'*homme*. Le *Je* (= conscience = sujet = personnalité) apparaît comme étant, tout à la fois, le pôle à partir de quoi tout se juge et s'articule, le terrain de la bonne transparence et l'acteur principal. Parvenir à incarner ce *Je*, qui fait du disciple comme une réplique du maître, qui peut lui permettre, dans de bonnes circonstances, d'être lauréat du Concours général de philosophie et, en tout cas, d'être bachelier sans difficulté et lecteur, décidément favorable et critique de la presse « objective », voilà le but. L'opération pédagogique est menée avec subtilité. Cette subtilité ne semble pas être, paradoxalement, le résultat d'une élaboration : elle prend son poids, peu à peu, au rythme de la gravité institutionnelle, qui forme, selon des programmes, des enseignants et, selon les enseignants, des élèves, des étudiants, des examens, des concours. La P.S.U., au fond, ne décide rien : elle exprime une idéologie, qu'elle digère et supporte. Elle véhicule.

L'enseignement élémentaire de la philosophie vise à assurer, hormis sa propre reproduction comme institution, la constitution normale de la personnalité ou de la personne (nous aurons à revenir sur ces deux rubriques du programme) de celui qui le reçoit. Grâce à lui, la longue cérémonie d'initiation qui commence avec l'apprentissage des « humanités » s'achève. Ce que présupposaient les textes de Démosthène, de Cicéron, de Pascal et d'Alfred de Vigny trouve enfin sa vérité ; et celui qui a lu ces auteurs comme élève sera bientôt capable de juger par soi-même, librement, objectivement, comme une « grande personne », de passer du stade de l'imitation « rhétorique » à celui de l'assomption philosophique. Il entrera, du coup, dans cette Eglise laïque, constituée de citoyens responsables, prêt à prendre un métier et une femme, à défendre son pays, à obéir, voire à commander — et, tout cela, par la vertu de la P.S.U. — en connaissance de cause.

Le premier moment de cette opération consiste évidemment à faire *valoir* la philosophie comme étant le seul authentique chemin qui mène à cette consécration. C'est le fameux « premier cours », celui qui introduit *à* et *dans* la philosophie et qui, pour ce faire, la compare, bien sûr, à la science, à l'art, à la religion, mais aussi et surtout à la pensée « vulgaire ». Mais ce moment initial ne saurait être délié, il faut le remarquer, de celui qui lui succède immédiatement : la position de la psychologie réflexive comme première partie nécessaire de la P.S.U. Qu'il s'agisse du précédent programme « quadri-partie » : *psychologie, logique, morale, philosophie générale,* ou du programme « duel », actuellement en vigueur : *connaissance/action,* l'étude de type psychologique, celle qui porte sur le sujet naturel, sur la nature subjective de la sensibilité, de l'activité, de l'affectivité, vient en premier. La plupart des manuels en témoignent : l'introduction à la philosophie conduit nécessairement à une introduction dans la psychologie réflexive.

Essayons de suivre ce mécanisme idéologique. L'académisme philosophique, dans sa crapuleuse candeur, prend l'élève là où, selon lui, il doit se trouver — se trouver à l'issue de six années d'études secondaires. Il institue de la sorte un « objet » : la pensée non-philosophique ou « vulgaire », l'« homme du commun », mais informé — en lettres, en mathématiques, en sciences de la nature, en langues mortes ou vivantes — et, dès lors, récupérable. A partir de là, il construit une image de l'apprenti philosophe, envahi de fausses certitudes, mais inquiet ; conformiste, mais révolté ; saturé, mais ouvert ; dispersé, mais réclamant la synthèse. Puis il généralise : ce qu'est, le « presque adulte » des classes terminales est une réplique de ce qu'est, en fin de compte tout homme. Il rassure ainsi son public, en lui montrant à la fois qu'il appartient à l'humaine nature et qu'il possède, par rapport à celle-ci, l'avantage d'une information qui le rend plus apte à la fameuse assomption théorique.

Cela se traduit dans les manuels les plus usuels par une définition de la philosophie si large que tout y entre... et que tout en sort, identiquement. Voici : tout homme a une vision du monde implicite, qui gouverne son activité, ses pensées, son affectivité ; il est soumis à des règles d'action, à des habitudes mentales, à des croyances qu'il accepte comme allant de soi. Il s'installe ainsi dans la soumission. Vient, heureusement, la philosophie, libératrice et critique, qui enseigne à prendre conscience, à refuser, à questionner : qui recommande d'être libre ; qui appelle chacun à se vouloir personne ; qui emplit le sujet, fonction grammaticale, de tout le poids de ses décisions et de ses responsabilités...

Le programme est séduisant. Il « prend » bien, dans l'ensemble, car, comme on le verra, il s'alimente à une tradition solide et qui sait manier l'argument. Que cet élève type, produit par des lycées et collèges, n'existe que superficiellement ; que cet homme réduit à la généralité vulgaire soit une construction idéale et arbitraire, cela ne saurait venir à l'idée de la P.S.U. Celle-ci a besoin de ce médiocre objet contre quoi elle va diriger sa critique, qu'elle posera comme l'anti-objet définissant, précisément, son objectivité. Il faut que la pensée vulgaire soit, avec ses divers niveaux d'informations, sinon la fonction salvatrice de la philosophie disparaîtrait ; s'effondrerait l'assise sur quoi elle s'élève et contre quoi elle polémique.

La pensée socio-philosophique allemande, en apportant la notion ambiguë de *Weltanschauung*, de « vision-conception active-passive du monde », a fourni à l'académisme une source efficace d'argumentation. Ce dont libère la philosophie, c'est de ces *Weltanschauungen* implicites qui asservissent l'homme et les hommes. Quant à la nature de la « conception du monde », on la laisse dans le vague. C'est l'indifférencié contre quoi se construit l'œuvre philosophique, tout à la fois *doxa*, connaissance perceptive, sens commun, pensée utilitaire, immédiateté, croyances sociales, « idéologie », conscience collective ; c'est l'équivalent, d'une extrême généralité, de cette autre généralité de degré moindre : l'élève type avant qu'il apprenne la philosophie. Or, de même que celui-ci n'est qu'un « objet » imaginaire et commode — quel est son statut social ? y a-t-il, chez lui, une bibliothèque ou non ? de quoi et comment parle-t-il dans sa famille et avec ses amis ? comment a-t-il supporté les six années d'« initiation » secondaire ? —, de même l'homme de la *Weltanschauung* n'a d'autre réalité que celle du repoussoir. Il doit y avoir des « conceptions du monde » globales, mais diverses et partiales, pour que s'instaure la *pensée*, instance suprême qui juge de tous les « embryons de pensée ». C'est dire que, d'entrée de jeu, la P.S.U., pour construire tranquillement son empire, se donne, comme antithèse, un adversaire arbitrairement unifié. Grâce à la *Weltanschauung*, totalité idéelle où se rassemble, dans une pseudo-cohérence, le non-réfléchi, elle se donne « en puissance » la force triomphante de la réflexion.

L'homme = sujet = conscience, porteur d'objectivité, d'universalité est à l'œuvre. Les pratiques contradictoires et meurtrières qui déchirent les sociétés sont, désormais, amorties, abolies : elles se fondent dans le creuset facile désigné comme « pensée vulgaire ». L'objet de la philosophie, c'est elle-même et l'anti-objet qu'elle a imaginé. Tout va bien pour l'académisme, qui a d'autant moins de chance de tourner à vide que l'institution qu'il sécrète donne provisoirement consistance à son hypocrite invention.

Le chapitre introductif *à* et *dans* la philosophie a désormais son ordre. Qu'on y mette ou non du raffinement, qu'on invoque, derrière l'histoire prétendument « secrète », qu'on soit direct ou qu'on procède par allusion, qu'on inscrive ou non, d'une belle écriture crayeuse, les noms des « grands philosophes » au tableau, il restera que, la suite du programme, l'examen et les manuels (non réductibles quoi qu'on fasse) l'exigeant, le genre philosophique, achèvement des études dites littéraires et complément dit indispensable des études dites scientifiques, s'imposera comme ce terme abstrait et réducteur, capable de comprendre toutes les tensions, d'intégrer toutes les inquiétudes et d'expliquer que Socrate mort vaut mieux que Calliclès vivant.

Certes, l'opération n'est pas voulue ; personne, probablement, ne l'a décidée ; aucune instance administrative — des inspections académiques au jury d'agrégation — n'en acceptera la paternité. Elle n'en a pas moins son effet, ou, si l'on préfère, sa réalité. Quelque subtilement informée qu'elle soit, quelque profonde qu'elle se veuille, parce qu'elle *doit* s'intégrer au moule de l'institution, la pratique de l'enseignement philosophique élémentaire accepte une situation et une forme qui la condamnent à recevoir le contenu de l'opinion dominante. Or, celle-ci impose d'abord comme évidence le primat de la conscience = sujet, qui s'exprime techniquement par la position primordiale qu'occupe la psychologie réflexive. Par cette expression, nous désignons ici cette surprenante confusion qui, dans les manuels, à l'incitation même des programmes officiels, conduit à composer des chapitres, consacrés à la perception, à la mémoire, à l'imagination, à quelque autre « fonction psychologique », où se juxtaposent, dans une complète contingence, des références à l'ontologie traditionnelle de Platon et d'Aristote, à la théorie de la connaissance cartésienne ou kantienne, à Maine de Biran (le toujours bienvenu), à quelques Jules (au choix, Lagneau, Lachelier, comme l'analyse excellemment J.-F. Revel), mais aussi, car la science a aussi ses droits, à Durkheim, à Freud, à Pavlov, voire à la cybernétique.

Le texte consacré au lieu commun n° 6 étudiera plus précisément le traitement infligé aux sciences dites humaines par la P.S.U. Nous laisserons donc provisoirement de côté cet aspect pour souligner, dès maintenant, que le fil conducteur de ce discours, c'est la puissance impériale, reconnue comme allant de soi, de la *réflexion.* Dans cette perspective, il y a le sujet empirique *donné* — qui le donne, dans quel état, par le miracle de quelle innocence charmante, idiote et prometteuse ? on évite de se poser ces questions — et il y a la mise à distance, le questionnement, la réflexion, collectant, ici et là, des informations, qui travaillent idéellement et remettent le bon ordre. La réflexion est à la fois l'*instrument* et le *terme.* Grâce à elle se réduit la disparité des références données par la tradition : quant à l'inconscient, par exemple, Platon, Leibniz et Freud sont dans le même registre ; et Hérodote, Morgan et Lévi-Strauss, quant à la « primitivité ».

Mais si elle réussit aussi bien, cette réflexion, c'est qu'elle est elle-même un aboutissement : la position de ce sujet, sérieux, raisonnable passablement cultivé, capable de vouloir librement, de délibérer, de peser le *ceci* et le *cela*. En un même mouvement, la duplication du professeur et de l'élève est posée et supprimée : l'élève, c'est le point empirique, plein non réfléchi d'une fausse richesse ; le professeur, c'est l'incarnation d'une organisation conséquente et millénaire. Le privilège de la philosophie est d'abolir ce décalage : l'enseignant, en se penchant — jusqu'à tomber, souvent — dans l'empirie fait accroire à sa bienveillante objectivité (il n'est rien d'autre qu'un sujet empirique qui possède des sources d'informations plus fructueuses et plus sérieuses) ; l'élève tend à sortir de soi, de cette technicité préparatoire à la science ou à la technique, qui, selon les cas, lui plaît ou lui déplaît, mais qui lui reste extérieure, ou de cette rhétorique cornélamartinienne qui ne fera jamais que l'ennuyer, quelque soumis qu'il soit ; il accède à ce statut péremptoire qui le fait maître de son discours, libre, comme sujet, de décider de la validité de ce « sujet » qu'on propose à sa dissertation.

Le tour est accompli : le cercle circonscrivant la neutralité fondamentale est désormais tracé. L'appropriation pédagogique décisive est accomplie, le terrain sûr délimité. Avec l'assomption réflexive de la *Weltanschauung* et la mise en place du sujet psychophilosophique, s'annonce le point fixe, à la fois empirique et transcendantal, qui s'appellera « personnalité humaine » ou « personne », à partir de quoi il deviendra possible, un peu plus tard, de s'y reconnaître dans la connaissance et dans l'action, et de juger, en toute sérénité, des « questions » de la logique, des « cas » de la morale et des « problèmes » de la métaphysique. Mais ce terrain désigné, il faut encore l'investir. A cette tâche seront consacrés les premiers mois du cours de « terminales A », ceux qui portent « sur » la psychologie.

Permettons-nous d'ouvrir, ici, une parenthèse. Il sera question, à propos du lieu commun n° 4, de la façon dont l'académisme utilise une de ses assises les plus importantes : l'histoire de la pensée philosophique. Nous ne pouvons manquer cependant de signaler, dès maintenant, l'usage qui est fait d'« auteurs » comme Platon ou Descartes. Les voici réduits à leur étiage : ils n'existent plus qu'en tant qu'ils illustrent une opération. Soit Platon : pour ne pas alourdir l'exposition de références historiques, on néglige le contexte politique et culturel. Le Maître, Socrate, c'est le petit homme, seul, pauvre et laid qui malgré (ou à cause de) cela a déjà tout compris : initiateur de la psychologie, il a stipulé que le premier devoir, c'est de « se connaître soi-même » ; patron anachronique de tous les censeurs des études, il a expliqué que l'ignorance est la mère de tous les vices et de tous les malheurs ; héraut de tous les renoncements raisonnables, il a montré qu'il vaut toujours mieux subir l'injustice que la commettre (le pire est qu'il y a des textes, et qu'on peut exhiber). Le disciple, Platon, lui, qui fut le premier authentique professeur, n'a pas eu moins de mérite. Allant au-delà des contradictions de la société grecque, il a su dépasser l'action politique empirique et installer l'homme en un lieu tranquille et souverain, celui de l'Esprit ; rejeter, indifféremment, du côté de la *doxa* — de l'opinion — tout ce qui ne participe pas, d'une manière ou d'une autre, au registre spirituel ; intégrer fermement à l'ascèse intellectuelle les désirs « nobles »

— ceux qui ressortissent à la mort et à l'amour — et invalider radicalement tous les autres, ceux qui viennent du ventre, par exemple ; mesurer ce qu'il doit y avoir, dans un enseignement philosophique, de démonstration et ce qui appartient à la suggestion poétique — subjectivité oblige !

Mais ce Socrate et ce Platon dérisoires — répétons-le : malgré les textes qu'on peut aisément isoler — n'ont pas les couleurs et les contours, stupéfiants de simplicité péremptoire, qui sont donnés, dans l'Epinal académique, à l'image de Descartes. Il est là, « le cavalier qui partit d'un si bon pas ». C'est mieux qu'un penseur : un drapeau. L'académisme se régale de cet écrivain qui sut si bien être, à la fois, français, philosophe et chrétien. On le prend au pied de la lettre. Comme la mode est à l'épistémologie, on ne manque pas de souligner, en notes, en « petits caractères », qu'il fut physicien et mathématicien c'est manière d'attester de son sérieux. Mais aussitôt, on le ramène là où il doit être : il est l'inventeur de ce « truc » pédagogique commode qu'est le *doute* (« soyez douteur, mais non sceptique » !) ; le créateur du « je pense », ce *cogito* où se rassemblent, selon les circonstances ou les caprices, l'« âme empirique », le vécu existentiel, le fameux sujet - toujours - libre - et - toujours - menacé, l'émetteur de tout jugement, la pensée prise comme telle, le transcendantal ou la réplique du bon Dieu ; bref : le fourrier de la psychologie de la réflexion en même temps que celui de l'épistémologie personnaliste. Mais il y a mieux ; Descartes a su montrer qu'il n'y a point de salut sans référence à l'Absolu ; que l'homme est un milieu entre l'Etre et le Néant, qu'il est de réalité finie, mais, en puissance, de caractère infini. Plus radical encore : que la spiritualité et la matérialité, en l'homme-créature, sont coprésentes sans s'organiser, qu'il y a, sans cesse, balance de l'une à l'autre, mais que l'Esprit, malgré tout le poids de l'Autre, possède la meilleure part...

Repris de cette manière, le travail cartésien s'efface. De ce travail, dans son effectivité, il n'est pas question de discuter maintenant. Vise-t-il à récupérer, au profit de la métaphysique, l'entreprise physicienne à laquelle s'attache le nom de Galilée ? Veut-il introduire, au sein d'une tradition, la subversion décisive ? Ce n'est pas de cette manière, qui serait correcte, que la P.S.U. prend l'affaire. La facilité est son lot et elle s'y installe. Descartes est la bonne occasion : par la vertu du *Discours de la méthode,* on arrivera tout uniment à faire accroire que tout homme, pourvu qu'il s'y prenne bien et qu'il fasse attention, est un sujet ; qu'il y a une éducation de la volonté conduisant à la décision libre ; qu'avec Dieu — ou de quelque nom qu'on nomme la transcendance — c'est « à la vie, à la mort » ; que « la morale par provision » est l'équivalent d'une provision de moralité ; que les passions ne sont pas tout à fait mauvaises — il y en a d'acceptables —, mais que la raison vaut mieux !

Il faut bien que Descartes soit réduit à cette banalité pour qu'un ancien préfet de police ait le front de le critiquer. Ravel disait, raconte-t-on : « Ce que je reproche à Beethoven, c'est Romain Rolland. » Ce qu'il y a à reprocher à l'image académique de Descartes, c'est Maurice Papon.

Sur le sens de cette histoire de la philosophie et sur la technique des citations que celle-ci implique, il y aura à revenir. Plaçons-nous plutôt à l'issue de ce deuxième chapitre. Le premier a établi qu'il faut *philosopher* — ce qui veut dire, dans ce contexte, accepter l'institution et son programme —, que, d'ailleurs, quoi qu'il fasse, tout homme est déjà implicitement philosophe, qu'il convient donc, décemment, d'y venir et d'en tirer profit. Désormais, l'initiation à *cette* philosophie est définie comme un des éléments majeurs, luxueux mais indispensables, de l'entrée dans la vie du « citoyen responsable ». Le deuxième chapitre précise la signification de l'opération : ce dont il va être question, pour un temps, c'est de toi, de ce « je » qui doit se connaître soi-même, dans les modalités de son être empirique. Sois attentif : les secrets de ton psychisme, avec lesquels tu joues si légèrement, vont t'être dévoilés. Tu vas savoir comment tu perçois, comment tu imagines, comment tu parles, comment tu veux. Si tu es auditeur et lecteur scrupuleux, tu sentiras bientôt « pousser » en toi une personnalité normale, raisonnable et critique, qui t'apportera la tolérance, la dose correcte de pertinence et d'impertinence, et t'indiquera les limites mêmes fixées à ta puissance inventive.

Dès lors, nous sommes dans la « psychologie ». Celle-ci ressortit à l'ordre des faits. Elle se veut, dans son développement, descriptive. Mais, révérence pseudo-darwinienne aidant, elle est aussi progressiste. La P.S.U., dans son programme — qu'il soit « quadripartie » ou « bipartie » — administre, dans la dérision, le chemin autrement abrupt qu'a suivi, héroïquement, la *Phénoménologie de l'esprit* de Hegel. Elle n'a pas le courage hégélien, toutefois. D'entrée de jeu, elle fixe son terme et sa réalisation. En général, on parle, en effet, de la conscience et de sa réussite. On évoque, au début, l'attention comme « fonction psychologique » ; on annonce ainsi explicitement ce à quoi il faut parvenir : le *Moi-Je*. Le jeu est déjà joué ; mais, bien vite, il est vrai, on maquille les cartes, afin de donner le sentiment réconfortant de l'apprentissage.

Au début, il y a la simple conscience, l'innocence riche de sens, l'immédiateté, l'enfant qui ouvre ses yeux et qui vagit, le primitif au degré extrême de sa primitivité, dans sa forêt sauvage, l'adulte, cependant conscient et organisé, qui s'éveille dans la pureté du matin, le philosophe qui, rejetant toute sa « mondanité » culturelle, retrouve la transparence de son neuf regard... Le voici, le sujet en puissance. Il s'agit maintenant de meubler ce domaine azuréen et vide. Dans la description, bien sûr (avec cet appareil parascientifique sur lequel on reviendra). Interviennent alors, dans une logologie dont il y aurait à faire une analyse plus technique, des organisations pédagogiques surprenantes, résultant, semble-t-il, de l'interférence de traditions superposées.

Sans prétendre à quoi que ce soit qui épuise le thème, indiquons les directions possibles de recherches : il y a, d'abord, quasiment inamovible, la division héritée, au XIXe siècle, de Napoléon III, en quatre parties : psychologie, logique, morale, philosophie générale (*alias* théodicée, *alias* métaphysique). Il est clair que cet ordre réagit sur chacune de ces parties ; que c'est là non une disposition neutre, mais une organisation orientée. Tel est le cadre. Quant à la « psychologie », l'étude de l'âme, de la conscience, du fait psychique et de ses conditions, c'est en trois directions qu'elle s'est trouvée longtemps tiraillée. La réflexion n'indique-t-elle pas qu'il y a, en premier lieu, la passivité, celle du sujet qui sent, qui reçoit, qui éprouve des plaisirs, des douleurs, des émotions, qui subit des passions ? Qu'il y a, en second lieu, l'activité, qui commence avec le banal mouvement réflexe et qui s'achève dans le courageux mouvement volontaire ; qu'il y a, enfin, la pensée, toute benoîte dans la perception, mais qui culmine dans le jugement et le raisonnement.

Même face au bon sens le plus niais, cette tripartition n'est pas tenable. Vie affective, vie active, vie intellectuelle, nous n'en sommes plus là ! Ce dont parle la P.S.U. aujourd'hui, dans sa généralité, c'est de la connaissance et de l'action. La division tripartite de la psychologie, répondant à l'ordre quadripartie de l'enseignement élémentaire de la philosophie, est abandonnée. Il y a, désormais, deux domaines, qui renvoient l'un à l'autre — des renvois avec lesquels chacun est autorisé à jouer indéfiniment ! Et cependant, c'est toujours par l'empirie qu'il convient de commencer : psychophilosophie exige, sous la houlette du pseudo-Descartes. Avant de parler de la science, de la constitution du discours théorique et de l'élaboration du contrôle expérimental, avant d'évoquer la force des pratiques, l'enseignant ne doit-il pas situer les conditions de ces « travaux » : faire connaître, ainsi, les diverses « théories » de la sensation, de la perception, de la mémoire ? Ne lui est-il pas « imparti » — comme on aime à dire maintenant —, lorsqu'il en vient à aborder les problèmes moraux, de présenter « objectivement » les conceptions différentes que véhicule la tradition, concernant la passion, le désir ou la volonté ?

Les redistributions programmatiques qui se succèdent, au gré d'une inspection générale pétrie de bonne volonté et qui ne cesse de vouloir le mieux des élèves et des professeurs qu'elle a à charge d'administrer, ne changent rien, ne peuvent rien changer à une situation foncière. Placée comme elle l'est, avec sa fonction idéologique, la pratique philosophique élémentaire louvoie, mais son cap est fixé. Le second chapitre (les seconds chapitres dans la distribution duelle : connaissance/action) ne peut être qu'une *position* de la psychologie réflexive, comme suite normale du premier chapitre qui administre la nécessité empirique de la philosophie. Au terme, se dresse le *Moi-Je ;* entre les deux, la classe s'échine à y comprendre quelque chose, écartelée entre Ribot et Bergson, Herbart et James, pseudo-Descartes et pseudo-Leibniz ; au début, c'est, obligatoirement, le compromis douteux, où se mêlent l'empirique et le transcendantal : la conscience, l'intériorité, la subjectivité, le vécu, tout cela en puissance de dépassement, mais rivé, bien heureusement, pour l'efficacité pédagogique, au statut de l'extrême banalité...

On commence donc par le *psychologique,* par ce qui est posé comme étant directement, immédiatement accessible à la jeune âme (et qui permet à l'enseignant de feindre de renouveler, en chaque septembre, sa fraîcheur automnale). S'évertuent, dès lors, en un premier moment préparatoire à la crétinisation à venir, les bonnes « dichotomies » : conscience/inconscient (hommage conjoint rendu à Descartes et à Freud, avec la médiation attribuée à Leibniz) ; attention spontanée/attention réfléchie (de l'« absurde » Condillac à Bergson ou à Husserl en passant par le trop « mécanique » Ribot) ; conscience psychologique/conscience morale (ne manquez surtout pas l'article de la *Revue de métaphysique et de morale* écrit sur ce sujet par Léon Brunschvicg, sinon vous n'y comprendriez rien !). Tout est désormais en ordre. La P.S.U. s'accroche, hypocritement, au début, à un lumignon : la conscience naturelle, la subjectivité non encore révélée à soi-même et aux fantasmagories de son pouvoir. Il ne faut pas le pur noir de la « coupure épistémologique », qui laisserait peu de chance à l'analyse prétendument réflexive ; ne convient pas non plus la trop grande clarté du transcendantal qui risquerait d'éblouir le commençant et, du coup de l'effrayer. L'enseignant, l'élève, les « grands auteurs » appelés en référence se situent, d'entrée de jeu, dans la lumière fuligineuse et incertaine de la « conscience immédiate », celle sécrétée par la « nature » (Dieu ou les neurones, peu importe pour l'instant). Maine de Biran aidant, et sa théorie du fait primitif de sens intime (mais tout aussi bien l'Augustin des *Confessions,* Pascal ou Bergson), se dessine un domaine abstrait, irréel, fantomatique et fascinant à l'intérieur duquel vont se développer les articulations du *psychique.*

Du fait psychique, on ne saurait, bien sûr, donner aucune définition, ni factuelle ni théorique. La P.S.U., prudente, le reconnaît comme n'étant ni tout à fait ceci ni tout à fait cela, ni spirituel ni matériel complètement, ni transparent ni opaque de part en part, ni impersonnel ni personnel radicalement. A l'évaluer exactement dans sa fonction, il n'a d'autre réalité que l'opération pédagogique et idéologique qu'il permet. En lui se rassemble l'essence commune de l'enseignant-philosophe, produit, bon an mal an, par l'institution, et du malheureux élève formé par six années d'études secondaires. Le psychique est le lieu défini par l'institution où doivent, sous peine de sanction, communiquer les non-communicables, s'échanger les points de vue, s'instaurer le discours commun de la réflexion. Le philosophisme, aujourd'hui, est d'abord un *psychologisme.*

Cette progression abstraite qui conduit de la « conscience naturelle » au *Moi-Je* volontaire et organisé, à la personne désormais capable de vouloir le Vrai, le Bien et le Beau passe par l'analyse successive de facultés ou de fonctions dont chacune, en son registre représente, par rapport à la précédente, un pas en avant. On sent, puis l'on perçoit, puis on contracte des habitudes, puis l'on en vient à se souvenir et, ainsi de fil en aiguille, on parle, on juge, on raisonne ; on devient un vrai petit adulte. Et, parallèlement, on commence par avouer son empirie dans le besoin ; mais besoin se dépasse en tendance ; et tendance en désir ; et désir — par quelle magique médiation ? — se fait volonté, une volonté bien vite si sûre de soi qu'elle ne peut plus vouloir qu'elle-même. Le psychologisme de la P.S.U. doit être foncièrement optimiste : il n'est pas question que celui qui a fait de la philosophie se laisse aller à préférer la pollution des eaux à leur pureté, les plaisirs banalement chimiques du L.S.D. à la religion éclairée par des siècles de tradition réflexive, le conflit à l'arbitrage raisonnable, le refus à l'assomption, la violence au dialogue ; bref, le désordre porteur de tous les maux, à l'ordre qui est déjà là et qu'exprime, à sa manière et par le fait même, l'institution lycéenne universitaire.

Or, ce pseudo-progressisme qui conduit à la navrante neutralité personnaliste, qui va, très exactement, du commencement à la fin — qui réitère, dans la fin, la banalité prétentieuse du commencement — se projette en chacun des chapitres, c'est-à-dire en chacune des fonctions ou facultés étudiées. Cela ne serait point trop grave si, parmi les rubriques dont traite le « programme », il n'y en avait certaines qui, dans le débat idéologique contemporain, ont une impor tance capitale. On reviendra, dans la descriptio du traitement infligé aux sciences humaines, su l'usage qui est fait de la psychanalyse ou de théories du langage. Situons-nous un peu plu bas : là où s'exerce, dans son efficacité ignobl et benoîte, l'institution. Demandons-nous que lecteur de journal, d'essai ou de roman, que spectateur de films ou d'émissions télévisées, que visiteur de villes et de musées, et c'est tout un quel électeur, quel agent socio-politique quoti dien fabrique, tout le reste de l'organisatio sociale à l'appui, le programme de la P.S.U.

Trois exemples. Choisis par le rédacteur de ces lignes par lassitude, comme par hasard, tant l'évocation d'un métier qu'il a fait pendant quatre lustres l'éprouve. Premier exemple : le problème classique du rapport sensation/perception. La sensation : s'il s'agissait d'une catégorie philoso-phique, d'un élément conceptuel appartenant à la logique stricte du discours de la philosophie, il serait possible d'analyser rigoureusement sa fonction idéologique. Non pas : n'oublions pas les petites âmes, dressées par des années d'ensei-gnement dit littéraire, et l'exigence d'empirie que le chapitre d'initiation a déclenchée en elles. N'oublions pas ce sur quoi toute une « psycholo-gie » a spéculé, avec des prétentions effectives à l'expérimentation, durant une partie du XIXe siècle. N'oublions surtout pas que le candidat au bacca-lauréat devra justifier de « ses » connaissances, devant l'examinateur qui se prend lui-même et pour plus de sûreté, au pied de la lettre. Dès lors, il faut faire une théorie de la sensation, comme s'il s'agissait d'un fait à propos duquel on énonce des lois. Le cirque abstrait se développe. Le schéma est bien connu : les meilleurs manuels et les livres le filent identiquement.

On emprunte pour commencer aux « fondateurs », Platon, Aristote, Descartes, Leibniz ou Kant, quelques citations, pour se mettre en train. Et on soumet ces phrases, prises n'importe comment, à la critique d'une réflexion de bon sens. Du coup, on en arrive à la « psychologie », à ses résultats : à la rescousse, Weber, qui était sérieux et modeste ; Fechner, qui, vraiment, a exagéré, comme l'a prouvé Bergson ; et puis, tous ceux qui, d'une manière ou d'une autre, ont compris la sensation comme « guide de vie ». Le chapitre se construit ; la dissertation éventuelle est en place. Par ce tour de passe-passe qu'on a honte d'appeler pédagogique, la *sensation* qui *n'est* celle de personne, ni de quiconque « qui a senti », ni d'aucun penseur qui a essayé de thématiser théoriquement ce problème, est construite comme *objet*, objet sur lequel il y a à avoir des connaissances.

Rupture : cela dont vous devez savoir les lois (de Weber, de Fechner et autres) n'*existe* pas. La recherche théorique, celle de la phénoménologie ; l'approfondissement expérimental, celui de la théorie de la forme, prouvent qu'il n'y a jamais eu de sensation ; qu'il n'y a jamais que des objets que l'on *perçoit ;* qu'il est absurde de confondre le processus psycho-physiologique inconscient de formation de la représentation avec la *présence* de la chose. Allons donc, soyez compréhensifs, acceptez le progrès de la réflexion : sautez à pieds joints *dans* la perception. Devant l'élève émerveillé ou sceptique, selon l'habileté de l'enseignant, un autre objet s'impose, qui mérite de solliciter tout autant son savoir attentif. Weber, Fechner vont à la trappe ; surgissent Husserl,

Kolher, Guillaume, Sartre, Piaget, Merleau-Ponty, avec, bien sûr, Bergson pour bonne cheville...

Qu'on n'aille pas prétendre que de semblables palinodies sont formatrices. Ce qui pourrait peut-être éduquer — encore qu'à ce niveau élémentaire des champs empiriques comme ceux de la physique, de la chimie ou des mathématiques soient beaucoup plus significatifs —, ce serait une théorie critique du développement de la psychologie de la « sensation » et de la « perception » et de l'utilisation ou de l'influence réelle de cette discipline dans les pratiques sociales : pédagogie, formation professionnelle, psychiatrie, techniques de l'instruction policière, rhétorique des avocats généraux et des avocats de la défense, publicité ou propagande. Mais telle n'est pas l'optique que déterminent l'habitude et le « programme » : en psychologie, nous sommes dans l'*empirie ;* nous sommes confrontés avec des *faits* se rapportant à la conscience (et à ses divers avatars) et aux conditions — psychologiques et autres — de sa « présence ». Dès lors, truffés de réminiscences aux auteurs classiques à qui il est arrivé d'écrire sur de semblables thèmes, défilent les « faits psychiques ! »

Un autre exemple : l'imagination. Le passif, cette fois, est encore plus lourd. L'élève, en effet, s'y connaît déjà. C'est un terme auquel les études littéraires l'ont accoutumé : il sait qu'il y a des écrivains qui imaginent — les poètes, par exemple — et d'autres qui raisonnent ; et que les plus grands sont ceux qui parviennent à combiner les deux, Pascal ou Alfred de Vigny. La tâche du psychologue-philosophe est difficile. Il lui faut faire tomber tout cet acquis de son côté, mais aussi le soumettre à la critique péremptoire et informée de la psychophilosophie. Il importe de montrer aussi, par les faits, par le vécu, qu'il y a une « mauvaise » imagination, celle qui est « maîtresse d'erreurs et de faussetés » et qu'il y en a une « bonne », celle qui invente... des vers nouveaux, des modèles atomiques, des expériences originales, des utopies exaltantes. Attention ! Il ne faut pas négliger, là non plus, l'apport de la *philosophia perennis*.

Ainsi doivent se combiner, dans les meilleurs cas, d'abord l'analyse des théories de l'image de Descartes à Bergson, en passant par Hume et par les « matérialistes » ; en second lieu, la justification effective de la différence quasi morale entre l'imagination reproductrice, qui se contente de répéter, et l'imagination créatrice, qui est comme une sur-raison ; en troisième lieu — et c'est là que le bât commence à blesser douloureusement — la liquidation simple et sérieuse opérée par Jean-Paul Sartre de la notion d'image et d'imagination. Quel enseignant, quel fabricant de manuel, quel élève appelé par l'institution à mimer l'un et l'autre, pourraient s'en tirer, sinon par un exposé rhétorique dont la seule leçon claire est qu'il n'y a pas de « chapitre » possible sur l'*imagination* ? (pas plus d'ailleurs que sur l'imaginaire : est-il si significatif à cet égard que Jean-Paul Sartre ait retiré de sa bibliographie le petit livre pédagogique intitulé l'*Imagination*, paru aux P.U.F., quand y figure, heureusement, l'*Imaginaire ?* Question non polémique, précisons-le).

A prendre les phénomènes qui sont classiquement inscrits dans la rubrique banale de l'imagination — des dessins enfantins aux mythes de la culture et aux inventions scientifiques — comme ressortissant à une faculté, à une fonction ou à une liberté, on s'interdit définitivement de dire quoi que ce soit d'intéressant. On administre des débats dont la désuétude apparaît bien vite. Et sous le prétexte de former de jeunes « intelligences » aux subtilités de l'analyse et de la critique, on fabrique des rhéteurs d'autant plus médiocres qu'ils ne savent plus, qu'ils n'ont jamais su ce qui fait problème.

Et puisqu'il a été question, deux fois de suite, de travaux dirimants de Jean-Paul Sartre, permettons-nous d'ouvrir ici une parenthèse. L'*Imagination, l'Imaginaire, l'Esquisse d'une théorie des émotions* constituent, au niveau où nous nous situons, un ensemble polémique d'une force exceptionnelle contre ce psychophilosophisme qu'implique institutionnellement la P.S.U. D'une autre façon, la *Structure du comportement* et la *Phénoménologie de la perception* de Maurice Merleau-Ponty définissent une ligne méthodologique qui fait basculer dans la dérision toute psychologie de la conscience-sujet, qu'elle se veuille « spiritualiste » ou « matérialiste ». Et, cependant, ces travaux remarquables ne sont que des négations abstraites, qui tombent dans le registre idéologique de cela qu'ils visent à détruire. C'est encore au nom d'une meilleure information « psychologique », d'une psychologie enrichie de tous les apports d'une réflexion plus tendue sur les pratiques quotidiennes, sur les découvertes des médecins, des physiologistes que s'opère la critique. Le cercle du *Moi-Je* n'est pas brisé. On y reste, avec la perspective d'aller au-delà. Mais il n'y a pas d'au-delà, quand on commence ainsi. Ni d'en deçà. L'existentiel, si percutant qu'il ait été, est demeuré une manifestation de la pensée spéculative. Les divagations contemporaines sur le « corps transcendantal » sont l'expression de cette impasse. Parenthèse fermée.

Revenons, pour un dernier exemple, à plus plat. Est prévu un chapitre sur la mémoire. Cette position programmatique — qui, bien sûr, n'est pas impérative, mais quel enseignant, quel élève sérieux prendra le risque de ne pas traiter de ce thème essentiel ? — implique qu'existe une liaison nécessaire entre ce dont on parle : le *Moi-Je*, la conscience, la subjectivité et la faculté-fonction *mémoire*, d'autre part. Qu'il y ait eu des formes culturelles, qu'il y ait des sociétés qu'on doit bien par ailleurs reconnaître pour humaines, qui ont ignoré complètement la mémoire personnelle, la temporalité subjective, qui se sont même employées à « exorciser » ces prétendues données, de cela la P.S.U. ne se préoccupe pas. La faculté « mémoire » ou la « fonction mnémonique » sont conçues comme *naturellement* coextensives au psychisme de l'homme. Or, cette faculté-fonction, il faut à la fois la décrire et l'expliquer, au niveau de la conscience même, du vécu. Certes, on prend des précautions : la P.S.U. raconte d'abord, pour ne pas être accusée d'irréalisme, qu'il y a des conditions physiologiques, voire sociologiques au bon fonctionnement de la mémoire. Se glissent déjà des prescriptions morales : méfiez-vous de l'alcool et des drogues, ayez une bonne insertion sociale, et vous vous souviendrez bien. Mais il faut y venir et voici la psychophilosophie au rouet. Comment, quand on se situe dans la perspective de la *présence*, expliquer le fait empirique de la coprésence dans le présent du présent et du non-présent ?

A nouveau, l'acrobatie rhétorique s'exerce : c'est encore ce petit jeu où l'on réfute Ribot par Bergson, Bergson par Husserl ; où l'on incarne Husserl dans Merleau-Ponty ; où l'on mêle les références psychophilosophiques aux « données » de la réflexion, les théories du psychisme aux remarques profondes des « analystes » de l'âme humaine, d'Amiel à François Mauriac ; où on a l'audace de compromettre Marcel Proust avec Bergson. Les divers niveaux de recherche — ou absence de recherche — sont confondus, avec cette croix qu'il faut porter jusqu'au bout, qu'on n'arrive ni à éliminer ni à planter : *mais où donc se conservent les souvenirs ?* Dans la conclusion, Freud sert quelquefois et permet de sauver la face. Mais il est remarquable qu'après avoir développé des variations autour de l'aphasie et du cône dit de Bergson, on en arrive à des remarques pleines de bon sens et d'utilité sur le bon et sur le mauvais usage de la mémoire.

Pas plus que de la perception, de l'imagination, la psychophilosophie définie par les programmes et, plus profondément, par le poids des habitudes pédagogiques, n'est capable de rendre compte correctement du « souvenir ». Restent donc le chapitre du manuel, l'exercice scolaire, qu'on retrouvera, à leur plus bas niveau, dans les travaux écrits et dans les interrogations orales du baccalauréat.

Venons-en à la « réussite » de cette introduction-première partie de la P.S.U. : les chapitres consacrés au *Moi-Je,* à la personnalité, à la personne, à la volonté. La commode confusion initiale qui faisait de la conscience à la fois une donnée naturelle et une expression de la subjectivité se retrouve, transposée par cette pseudo-progression de fonction en fonction, dans l'analyse provisoirement terminale de ce sujet qui est conçu conjointement comme sujet de la science et — celui dont il sera question dans la « logique » (selon les vieux programmes) ou dans la « connaissance » (selon les nouveaux programmes) — et comme sujet de l'action (ou de la morale). Mais, avant d'en mesurer les conséquences et les inconséquences, regardons se dessiner son visage.

A dire le vrai, il a tout pour plaire. Il a cru longtemps qu'il *avait* un corps : sur ce point, les analyses cartésiennes, nous dit-on, l'avaient abusé. Il sait maintenant qu'il *est* un corps, que celui-ci le constitue tout entier, qu'il ne peut pas, s'il veut décemment « être-au-monde », s'en séparer. Ce corps, c'est lui tout entier, et cela à charge de l'accepter authentiquement. Mais le *Moi-Je* est aussi et, en même temps, un peu plus : il est inséré dans des relations intersubjectives, il regarde et il est sous le regard d'autrui ; il a une fonction sociale ; il joue un rôle (!) ; il est un personnage. Là encore, cela, il l'est tout entier ; aliéné par sa fonction, et maladroitement conscient de cette aliénation ; complètement proviseur, complètement professeur, complètement bon élève, mais dans le porte-à-faux. Cependant, le *Moi-Je* est aussi et, en même temps, un peu plus. Il commence à se singulariser : il est un tempérament ; mieux, un *caractère.* Le caractère, c'est le lieu donné, instable où se combinent la nature héritée, la construction qui en résulte et les éventualités qui s'offrent à la liberté.

Encore une parenthèse, qui est de l'ordre du témoignage partiel et qui ne prétend à aucune portée scientifique. Un professeur, ayant interrogé pendant vingt ans au baccalauréat (une ou deux sessions annuelles, les atermoiements ministériels), a constaté que sur dix élèves interrogés à l'oral de classe de philosophie ou de terminales A — cela se situe entre 1949 et 1968 — et laissés libres de choisir leur « sujet », huit ont choisi la « psychologie » ; et que la moitié de ceux-ci, sollicités d'être plus précis, ont souhaité parler de *caractérologie*. Neuf mois d'enseignement à raison de neuf heures par semaine pour aboutir à ce résultat navrant où s'entrecroisent les niaiseries de René Le Senne et les gentilles sottises des journaux féminins ! Qui êtes-vous, docteur Schweitzer ? Un EAP ou un EAS ? Mettez une croix dans la marge.

Laissons. Le caractère, pourvu qu'on ne l'interprète pas comme une substance (eh oui ! la philosophie générale a déjà son mot à placer), mais comme un domaine de possibilités, est comme une *base* qui synthétise le biologique et le social primaire. Car le *Moi-Je* est aussi et, en même temps, un peu plus. L'acide intervient : c'est le *Je* volontaire qui produit le sel de la personnalité/personne. Soyons toutefois un peu plus prudents : le *Moi* du caractère est encore un *Moi* inférieur, articulé trop étroitement sur le donné. Il y a un *Moi* supérieur qu'on peut déjà dire *volontaire*. Mais cette volonté n'est qu'une résultante : l'ont décrite à la fois les « matérialistes » qui n'ont vu dans le vouloir que le produit de désirs contradictoires et les « intellectualistes » qui ont confondu *volonté* et *délibération rationnelle...*

L'expérience prouve, le vécu atteste qu'il y a, en même temps, un peu plus. La fulgurance du choix, le *fiat* (comme a dit William James, en général mieux inspiré dans la banalité de ses analyses). Le voici ce *Je*, qu'on attendait, depuis le début, comme un messie. *Est* une volonté libre, imprévisible, constitutive de l'homme même quand il a su se connaître. Le *Cogito* initial s'est retrouvé ; il a appris qu'il était perception, désir, raisonnement, imagination et bien d'autres fonctions encore ; maintenant, il sait qu'il peut être liberté. Que cela dépend de lui, pourvu qu'il fasse bon usage de ces facultés/fonctions à lui données ; et surtout qu'il fasse bon usage de cette liberté.

Qu'on se rassure : la suite du programme, en ce qui concerne tant la connaissance que l'action, administre ce bon usage et détermine des règles qui pour être d'une extrême généralité n'en sont pas moins fort limitatives. C'est là ce que fera apparaître la description des lieux communs n° 5 et n° 6. Mais avant d'aborder ces derniers, il convient de préciser la perspective générale dans laquelle vont se développer les recherches logiques, morales et politiques de l'académisme. Le cours « progressiste » de la psychophilosophie qui conduit de la passivité à l'activité, de la détermination à la liberté, de l'aliénation à la conscience lucide, de la soumission aux contraintes biologiques et sociales à l'invention du *Moi-Je*, qui se veut purement descriptif et factuel, puisant les « faits » qu'il invoque indifféremment à la littérature, au vécu, ou aux doctrines des psychologues, présuppose une *ontologie*.

Il faut entendre cette dernière proposition dans la rigueur de ses mots. Elle ne signifie nullement que, comme toute idéologie — au sens faible de recueil ou de système plus ou moins bien ajusté d'idées, de notions, de « valeurs » — elle implique, comme on aime à dire quand on parle d'un référentiel signifiant n'importe quoi, une métaphysique. Non. Il s'agit bien ici d'*ontologie*, c'est-à-dire d'une conception spécifiée de l'Etre, tel que celui-ci a été défini par la pensée spéculative. Ce à quoi renvoie cette psychologie de la réflexion amoindrie, contaminée par un pseudo-rapport aux « sciences humaines », à la psychologie dite scientifique, en particulier, c'est à un dogmatisme cosmologique, biologique, « philosophique » qui met l'homme, comme réalité naturelle, comme fait, mais aussi comme transcendance, comme lumière au terme d'une évolution ascendante. Les derniers chapitres de la psychophilosophie : volonté/personnalité s'inscrivent dans la perspective commune à Condorcet et à Teilhard de Chardin, à Paul VI et à Roger Garaudy, à Louis Armand et à la General Motors, à...

Ce n'est pas le lieu d'ouvrir à nouveau le pseudo-débat sur l'humanisme. Lorsque, avec des optiques très différentes et en des moments idéologiques non comparables, Louis Althusser et Michel Foucault l'ont soulevé avec la vigueur et la pertinence que l'on sait, l'un et l'autre, semble-t-il, définissaient des problèmes épistémologiques précis (avec leurs implications politiques et idéologiques) et avaient bien pris la précaution, dans leurs textes, de spécifier leurs objectifs. Ils ont montré que le concept d'*homme,* qui a été le pôle de la réflexion depuis le XVIIe siècle, est aujourd'hui si confus, si pléthorique qu'il constitue l'obstacle majeur à une intellection scientifique du devenir des sociétés et des cultures et que toute théorie critique passe par sa destruction systématique.

Or, cette notion est précisément au centre de la P.S.U. De même que la psychophilosophie initiale institue comme fait et comme juge le *Moi-Je* subjectif, de même l'académisme construit ses analyses de la connaissance et de l'action autour de l'idée d'homme, d'humanité, de nature ou de condition humaines. Comment s'est formée, puis déposée cette tradition, ce n'est pas ici qu'on peut l'étudier. On se contentera, comme dans le présent chapitre, de décrire ce second lieu commun et d'en repérer le fonctionnement.

LIEU COMMUN N° 2 : L'HOMME

Reprenons cette affaire idéologique dans sa simplicité. La P.S.U. s'est posée, d'entrée de jeu, comme la discipline par excellence, capable non seulement de susciter les inquiétudes et les problèmes radicaux, mais encore d'administrer les preuves décisives. Telle est la suffisance spéculative ; et il faut bien dire que, malgré sa surprenante vanité, elle est plus sérieuse que cette mode pseudo-philosophique qui renaît périodiquement, selon laquelle le seul intérêt de la philosophie serait de questionner sans jamais se hasarder à une réponse. Ce que la pensée spéculative a établi correctement, selon ses principes, c'est que la question vraie implique la réponse adéquate, quand bien même cette réponse, cette preuve administrée se découperait sur un fond où le questionnement reste une éventualité constante. La pensée spéculative est fabricante de discours légitimés ; sa catégorie fondatrice est celle de vérité. La P.S.U., qui est la retombée institutionnelle de la spéculation, doit, elle aussi, se vouloir administratrice de preuves... Elle pose des problèmes : à l'occasion des questions du programme, du cours, des dissertations d'entraînement ou d'examen qu'elle doit résoudre, dans un temps limité.

Commence son embarras. Elle n'a certes plus le style de la haute spéculation ; elle ne peut plus l'avoir, encombrée qu'elle est par sa psycho-philosophie initiale, par les références qu'elle est contrainte de faire, pour être « comprise », à la banalité empirique et aux « sciences humaines ». Il lui faut donc trouver un terrain où elle puisse combiner au mieux ses diverses sources d'« information » ; où elle parvienne à se démarquer des autres disciplines scolaires. Les sciences expérimentales, elles, s'appuient sur les « faits » : l'existence de salles carrelées de faïence et de séances de travaux pratiques suggère aux élèves que cette référence n'est pas tout à fait illégitime. Le mathématicien parle à livre ouvert : il ne cache ni l'arbitraire de ses énoncés initiaux ni le caractère formel de la cohérence qu'il reçoit pour critère de son discours. Le géographe déballe tout son attirail de schémas, de cartes, de cailloux, de photographies, de films et de statistiques. L'historien a ses documents et ses monuments ; et, derrière lui, une solide tradition de conteur et de metteur en scène. Quant au littéraire — quand il n'est pas contaminé par les « théories nouvelles » —, il navigue entre le jugement de goût, la rhétorique et le renseignement chronologique...

Où la P.S.U. va-t-elle donc trouver sa technique de preuve qui l'établisse effectivement comme discipline de couronnement ? Le passé qu'elle se donne exige d'elle qu'elle combine, en un mixte bien composé, l'ordre qui préside à la construction du texte mathématique — la cohérence, la rigueur conceptuelle — et celui qui gouverne le travail du physicien ou de l'historien — la présence des faits. Il fut un temps, lorsque la fonction spéculative était plus directement articulée sur les pratiques, politiques ou scientifiques, où l'arrangement était possible. De cette réussite, témoignent « les grands systèmes » de Platon ou de Descartes à Hegel. La situation s'est bien dégradée (on s'essaiera, un peu plus loin, à raconter l' « histoire » de cette dégradation). Un certain nombre d' « événements », d'irruptions et de subversions ne permettent plus de croire à l'unité de l'ordre discursif : quand bien même elle n'arriverait pas à s'habituer à cette idée navrante, la P.S.U. pressent que la catégorie de vérité n'a pas cette force et cette signification unitaire qu'on lui a longtemps reconnues. Quant à l'ordre des « faits », il s'est dispersé en une multiplicité de domaines empiriques si vaste et si confuse que chacun peut y puiser n'importe quoi, mais, en aucun cas, de l'ordre...

Depuis Aristote, le processus est bien connu : dans des circonstances aussi difficiles, quand il n'est plus possible de recourir au raisonnement scientifique, quand la dialectique ne permet même pas d'accéder à la simple vraisemblance, alors reste la construction rhétorique. Une rhétorique spécialisée qui, comme la littéraire, va naviguer entre trois courants. Au fond, qu'est-ce qu'une « bonne » dissertation (de baccalauréat, de licence, d'agrégation) ? Un texte où entrent, en des proportions égales, les doctrines, les analyses dites conceptuelles et les « faits » :

1° Les doctrines. Bien sûr, nous n'en sommes plus à *Aristoteles dixit*. Mais il y a des grands auteurs, qui sont, pour ainsi dire, de fondation. Si l'on est très « brillant », on peut les ignorer : mais pourquoi ne pas assurer ses arrières, ne pas « rencontrer », au cours de sa réflexion et sur le même chemin, Descartes ou Kant ? Dès lors, la tâche du pédagogue qui a à cœur de bien faire son métier, c'est de déclencher un certain nombre de déclics : *mémoire* implique Ribot, Bergson, Delay (et Freud) ; *violence* implique Platon, Hegel, Marx (et Nietzsche) ; *justice*, encore Platon, Leibniz, Rousseau, Marx, etc. Et tout cela très vite, car le temps est compté et tout examen, quand il se présente comme épreuve où sont rassemblées des dissertations soumises au jugement de correcteurs, est un concours. Les correcteurs le savent bien d'ailleurs : toutes les « bonnes dissertations » se ressemblent à cet égard. Dès que le « sujet » a une portée générale, on commence par Platon (ou Aristote) ; puis on fait une référence précise et bien menée à la théorie de la connaissance : Descartes (ou Leibniz ou Kant) ; on fait semblant de conclure avec Hegel ; et on remet tout en question grâce à Marx, Nietzsche ou Freud, selon les circonstances. Ce n'est plus *Aristoteles dixit*, c'est ce mythe reconstruit, par l'institution philosophique, comme *philosophia perennis* qui parle et qui s'impose.

2° Les analyses conceptuelles. C'est là le « chic » de l'académisme philosophique et spécialement de cet académisme « d'avant-garde » qui s'exerce dans les classes préparatoires aux Ecoles normales supérieures. Il s'agit là d'une technique supérieure du discours universitaire qui permet, par le seul moyen de la réflexion, de développer l'abstraction jusqu'à la démesure. Que l'on voie bien ici que ce n'est pas le concept et sa fonction heuristique que nous contestons. S'il est une fonction théorique, elle consiste précisément à construire un ou des ordres conceptuels tels que des pratiques empiriques ou scientifiques en deviennent plus clairement ou plus fermement articulées : ainsi jouent, par exemple, les *Dialogues* de Galilée ; ainsi les aspects « épistémologiques » — pour parler en raccourci — des textes de Descartes, de Leibniz ou de Kant. Le travail théorique a pour objectif de faire apparaître les concepts, les termes abstraits ou, si l'on veut bien, les essences autour desquels s'organisent les pratiques afin que celles-ci acquièrent une connaissance plus fine — au sens que G. Bachelard donnait à cet adjectif — de leur efficacité et de leur difficulté. Il serait trop facile et un peu trop « à la mode » d'évoquer, à ce propos, les analyses conceptuelles de Marx et celles de la « métapsychologie » freudienne.

Or, à consulter les « bonnes » dissertations de baccalauréat, du concours général de philosophie, de l'agrégation, à lire les meilleurs manuels, ce n'est pas là le style de l'académisme. Celui-ci réfléchit une sorte d'histoire de la philosophie déshistorisée : non plus Descartes et Leibniz, mais le *Cogito* comme essence déliée : non plus Kant ou Husserl, mais le *transcendantal ;* et aussi bien, non plus Marx, Lénine ou Lukàcs, mais la mystérieuse *praxis ;* non plus Kierkegaard et sa suite, mais l'*existence.* Tout se passe comme si l'intelligence philosophique extrême consistait à être moins bête que le *Vocabulaire de la Société française de Philosophie* connu sous le nom de *Dictionnaire de Lalande ;* et, dès lors, à fabriquer des articles, sur ceci ou cela que la tradition a déposé comme « notions philosophiques », qui soient mieux faits, plus élégants, plus originaux que ceux de ce trop célèbre glossaire. Sur ces compositions souffle, bien sûr, le vent de la petite histoire idéologique. « Comme pour les vins, il y a des années », disait, avec un humour triste, un correcteur au concours d'entrée à l'ENS-Ulm. A prendre une chronologie courte, jadis ce fut la *liberté ;* naguère, ç'a été la *structure ;* aujourd'hui, c'est la *différence.* Il va de soi qu'aucun de ceux que la manie journalistique a institués, à chaque époque, comme « promoteurs », n'est responsable de ces modes odieuses (réellement même en ce qui concerne Bergson, on ne peut condamner celui-ci en invoquant seulement les bergsoniens !).

3° Les « faits ». « Depuis Kierkegaard, Marx, Nietzsche, Freud (et, accessoirement, Heidegger), depuis les prodigieux progrès accomplis par les sciences et les techniques, depuis l'essor de la sociologie, de la psychologie, de l'ethnologie, de l'histoire, de l'anthropologie, de la géographie, de l'esthétique... », depuis tout cela — qu'on semble entendre comme produit d'une chance ou d'une contingence historique —, la philosophie ne peut plus ignorer les faits. Pas plus qu'elle ne peut faire abstraction de la révolution bolchevique, de la croissance industrielle surprenante des U.S.A., des revendications dudit « tiers monde », du quasi-milliard de Chinois, de l'expansion japonaise, de la « nouvelle classe ouvrière », de l'automation, des autoroutes, des moyens de communication de masses, des problèmes de l'habitat, des artichauts du Finistère et des tomates du Vaucluse... Eh oui ! Noblesse oblige. Que serait donc ce savoir exquis et si bien informé des modalités de la perception et de la personnalité, s'il ne se penchait — comme on dit — sur la condition concrète des hommes ?

S'introduit, du coup, la confusion la plus complète : la « pensée » doit tenir sous ses rênes tout et n'importe quoi, par exemple, la lecture conjointe de Descartes, du *Lalande* et du *Monde*... L'élève de « terminale », l'étudiant besognent, au jour le jour ; l'enseignant s'efforce de construire un discours qui ne soit pas trop incohérent et qui tienne compte, à la fois, de ce qu'on lui a appris comme appartenant au domaine de la philosophie, de la demande de son « public » qui, effectivement, souhaite en savoir un peu plus long et plus large, et des règles de l'examen qui se profile.

Une telle situation est intenable. La solution en ce cas-là, solution « logique », est de fuir, c'est-à-dire d'aller dans le droit fil de l'opinion dominante. Puisqu'il faut un lieu où se nouent ces diversités, prenons celui-là où chacun, où chaque élément de la tradition ancienne ou contemporaine trouvera une satisfaction partielle. Adoptons le thème commun à *toutes* les politiques actuelles, en feignant de le hausser à ce niveau supérieur que définit la réflexion. L'extrême ironie de l'histoire oraculaire est censurée : Œdipe, qui a peur et qui est niais, répond naïvement à une question « bête ». La P.S.U., elle, est heureuse d'exhiber intelligemment son lieu commun : l'homme.

Dans cette opération qu'il croit légitimante, l'académisme ne part pas sans justifications historiques. La référence qu'il se donne et qu'il pose comme ultime (et, cependant, toujours ouverte), il l'enracine dans une tradition constamment moderne : celle de l' « humanisme ». Ne tergiversons pas sur le contenu de cette notion qui n'a d'autre fonction ici que celle de repérage et disons, pour simplifier, que les diverses doctrines ressortissant à l'humanisme font jouer à l'homme, en général — comme réalité, comme essence, comme fait générique (l'« humanité ») — le rôle qu'a joué Dieu, dans la pensée occidentale, du postplatonisme au XIXe siècle bourgeois.

On ne saurait comprendre les textes que la P.S.U. consacre — des manuels scolaires pour les classes terminales aux anthologies réunies pour les « scientifiques » jusqu'aux publications introductives aux études supérieures — à la logique, à la théorie de la connaissance, à la morale, à la morale dite appliquée (alias *politique*), sans analyser, schématiquement, le mouvement idéologique qui l'institue. L'incohérence de la P.S.U. a un ordre : on a renoncé, ici même, dès le début, à en rechercher les modalités réelles de production, parce qu'il faudrait une information beaucoup plus large que celle à quoi correspond cet essai. On peut toutefois révéler, dans le « discours manifeste » des programmes, des manuels et des habitudes universitaires (du baccalauréat à l'agrégation), une logique mythologique latente, contournée, incertaine et, d'autant plus assurée et péremptoire, qu'elle s'inquiète de sa trop remarquable inanité. L'histoire des humanismes est à écrire. Ce qui suit, répétons-le, n'est que schéma...

Voyons d'abord l'expression, le « manifeste ». Des philosophies de l'Antiquité, on retient, bien sûr, des indications. Tout se passe comme si Héraclite, Parménide, Platon, Aristote avaient créé une forme, un cadre, que l'avenir aurait à prendre en charge ; comme si ces penseurs n'avaient été que des « logiciens » définissant un style auquel il faudrait bientôt donner sens et contenu (compte étant tenu, certes, des précieuses indications « psychologiques » que recèlent le *Phédon*, et le *Traité de l'Ame* ou *l'Ethique à Nicomaque*). En fait, tout commence avec la deuxième *Méditation métaphysique* de Descartes. Le *Je pense* est la première vérité, en même temps que le lieu et que le modèle de toute vérité. Contre les confusions du platonisme et de l'aristotélisme, de leurs remoutures médiévales et « obscurantistes », s'organise la pensée claire et distincte, l'ordre du savoir se contrôlant soi-même dans la sacralité de l'évidence, de la présence de soi à soi, du pouvoir imprescriptiblement critique de la lumière naturelle. La subjectivité au travail est au centre, désormais.

Mais elle est un peu sèche. Est-il raisonnable de rejeter ainsi du côté du corps, de l'impersonnel, ce qui est dans le registre de la passion ? La belle histoire du sujet, du coup, se repeuple. Cette « imagination », que le classicisme reléguait dans la contingence, retrouve, grâce aux philosophes du XVIIIe siècle, son droit de participation au psychisme. Et la passion ? Et l'amour, qu'on ne saurait réduire à une mécanique ? Introduisons donc, dans la subjectivité fondatrice, ces facultés qui lui redonnent la vie. La pensée est, essentiellement, intellection pure ; mais elle n'a pas le droit de méconnaître tout cela qui la nourrit et la soutient, ces fonctions dynamiques, qui ne sont ni de l'âme (= pensée pure) ni du corps, mais qui sont un peu plus que chacun d'entre eux.

Désormais, la voie est ouverte à la psychologie. Celle-ci va s'instituer comme discipline du *sujet réel,* à la fois sous la bannière du *sujet* cartésien, du neveu de Rameau et du malade que Bordeu et Pinel s'efforcent de soustraire aux « superstitions ». Avec Maine de Biran, le jeu est tout ouvert : le *Je pense* devient un lieu d'expansion. A l'extérieur, il est prêt à tout conquérir : la physiologie, la biologie ; à l'intérieur, il a déjà tout intégré, y compris la transcendance. Que viennent la sociologie, l'ethnologie, l'histoire. Qu'importe ! La structure d'accueil est constituée qui permet d'intégrer toute nouveauté à un passé omniprésent. Il serait commode de représenter cette reconstitution « historique » de la mythologie humaniste sous l'aspect de cercles concentriques : au centre, le *Cogito ;* dans un deuxième anneau, l'imagination, la passion, la « sensibilité » ; dans un troisième, l'anatomie et la physiologie ; dans un quatrième, la société et les sciences qui correspondent ; et — pourquoi pas ? — dans un cinquième, l'inconscient, à la manière de Jung ; dans un sixième, quel inconvénient y aurait-il à y mettre la *praxis ?* Ou autre chose, aussi bien !

Homme est le nom de cette figuration concentrique dont se nourrit la P.S.U. S'installant en cette contingence, elle a des points d'appui n'importe où et nulle part. Elle rive son clou, du coup, aussi bien au psychanalyste qu'au biologiste. Elle argumente à son gré. Elle a le progrès de son côté ; elle est prête à tout prendre et à tout comprendre. Elle peut même se permettre le luxe de désarticuler cette « humanité » qui est son sujet-objet fondamental : à côté de l'homme achevé, elle reconnaît l'existence légitime, en « para- », en « hyper- » ou en « hypo- », de déviances simplificatives et dûment répertoriées : à côté de l'homme achevé (conscience pure/affectivité/- corps/être social/inconscient/pratique/etc.), il y a l'enfant (qui n'est ni ange ni chose), le primitif (qui n'est ni innocent ni barbare), le malade mental (qui n'est ni inspiré des dieux — du démon — ni produit physiologique), le criminel (qui n'est ni fait social ni « nature »)... L'accueil est à son comble de possibilités : la psychophilosophie humaniste — qui a son assurance concrète, maintenant, croit-elle — possède, avec certitude, l'empire indéfini de la connaissance contrôlée et ouverte. Désormais, Marx et Teilhard, Lacan et Ricœur, Lénine et Husserl peuvent collaborer dans une entreprise d'universelle démystification et de réconciliation, tout autant universelle. En l'homme, par l'homme, les contradictions, les différences, les discordances s'effacent jusqu'à n'être plus que des « points de vue » complémentaires.

Cette histoire de la notion d'homme, comprise selon cette version académique, est évolutionniste, constamment enrichie et synthétique. Mais on peut l'entendre d'une autre façon, peut-être moins optimiste, plus sérieuse aussi (plus sérieuse au sens où elle refuse les confusions systématiquement introduites entre les notions de *sujets*, de *conscience* et d'*homme*). Il est de fait que l'affaire commence avec Descartes, mais dans l'ambiguïté, déjà : pour parler d'une manière brève, disons que dans la nature du *Cogito* se nouent des déterminations confuses qui la font participer à la fois du *Je* conscient (ancêtre du *Moi-Je* de la psychologie réflexive), de la réalité ontologique de la créature inscrite dans l'ordre de la création et du sujet de la science (corrélat de l'*objectivité* de la nature). Le « Je pense » cartésien n'a pas à être « complété » : il est déjà pléthorique. Et tout le travail de l'épistémologie du XVIIIe siècle consistera à l'épurer, à systématiser cette essence disparate, à en définir les registres. De ce difficile travail théorique, qui réfracte le parcours des pratiques scientifiques, surgira le *sujet transcendantal* tel que l'œuvre kantienne en règle le statut.

Poursuivons cette autre mythologie, plus méticuleuse que celle de la P.S.U. Le *Cogito* est devenu *sujet transcendantal ;* ce qu'il y avait en lui d'ontologique et d'empirique disparaît ; on tombe en un autre domaine. Peu importe, ici, ce que fait Kant de ce résidu, qu'il le redistribue autrement, qu'il en réduise une partie au simple traitement empirique et qu'il confère à une autre la capacité absolue. Reste une disparité insupportable — beaucoup plus que celle de l'âme et du corps : celle du sujet de la science (que la *Critique de la raison pure* a établi dans ses pouvoirs et dans ses limites) et du sujet conscient, souffrant, volontaire, agissant. Hegel, après Fichte, s'acharnera à dépasser cette situation et inventera les concepts qui réalisent la philosophie, c'est-à-dire réconcilient théoriquement théorie et pratique, compensant ainsi, par une réussite spéculative, ce que Marx nomme le « retard allemand ». L'académiste français n'a pas cette chance malheureuse : après avoir « donné » Descartes à la pensée moderne, le génie de la France « a donné » la prise de la Bastille. Elle n'a plus qu'à organiser ses conquêtes, comme Napoléon Bonaparte a ordonné la Révolution. Que l'Université, en France, trouve sous le premier Empire, un statut dont la puissance est aujourd'hui, encore, déterminante, est plus qu'un indice ; c'est presque une preuve...

Commence ce plat chemin qui va conduire du *Cogito* (cartésien) à l'*homme*, lieu commun de la P.S.U., en passant par le « fait primitif de sens intime » de Maine de Biran, par le *Je* délibérant et décidant de Victor Cousin, par la « nolonté » de Renouvier, par le « moi profond » de Bergson, par le sujet pratico-dramatique auquel nous ont habitués les moutures contemporaines du marxisme et de l'ultra-marxisme. La construction de l'humanisme de la P.S.U., tant celui-ci est attentif à sauvegarder ce qu'il croit être la valeur foncière, est, réellement, destruction de toute possibilité discursive correcte, c'est-à-dire de toute mise en œuvre de la théorie comme théorie articulée des multiples pratiques effectives et comme expression des antagonismes réels.

Le thème de cette malversation, c'est l'*homme*. Au vrai — ne parlons ni de Platon, ni d'Aristote, ni des stoïciens, qui, n'ayant affaire ni les uns ni les autres avec Dieu, n'avaient point de problème de ce côté — l'*homme* n'est un concept pour aucun des théoriciens de la philosophie ancienne. Pour Descartes, Leibniz, Hume ou Kant, qu'il s'agisse des hommes, cela va de soi ; qu'il y ait, pour eux, un concept de l'*homme*, il faudrait en faire une analyse plus précise. En tout cas, ce n'est qu'au creux du XIXe siècle, lorsque les tirs des fusils à répétition ou les opérations politiques à couverture démocratique auront réduit les mouvements révolutionnaires, que la rhétorique philosophique — qui est aussi accomplissement de la pensée spéculative affadie — pourra imposer, comme catégorie décisive, ce lieu commun de la culture institué désormais comme phénomène bourgeois.

L'académisme contemporain s'installe dans cette situation. Il y trouve son confort ; il y rencontre et sa logique et sa morale. Sa logique : la référence à l'homme « en général » permet, en effet, de passer constamment — en masquant la contingence de ces déplacements — d'un type de « preuve » à un autre ; en se référant à l'homme, on peut invoquer tantôt l'irrécusable témoignage de la conscience (= du vécu), tantôt la rationalité dont témoigne le « sujet de la science », tantôt la liberté de la volonté agissante. Sa morale : pour l'analyse superficielle à laquelle la P.S.U. est condamnée, la notion d'homme et d'humanité est le terrain neutre à partir de quoi va pouvoir se construire la recherche impartiale, « objective » ; elle va au-delà, en réconciliant par avance chacune des positions, de ces querelles dites stériles concernant religion et athéisme ; mieux même : elle définit un registre où morale et politique s'accordent, où on peut parler, « en toute sérénité », de la lutte des classes, de la tâche, nécessairement répressive (hélas !) de l'Etat, où devient possible de proposer, par exemple, à la dissertation des élèves ou des étudiants, le sujet suivant, sans qu'il implique la moindre absurdité : « Justice et Charité dans la *praxis* de Lénine en octobre 1917 » !

Mais toute cette affaire est encore bien abstraite dans son fonctionnement (technique), c'est-à-dire dans sa fonction (idéologique). Essayons de préciser comme l'*homme* — sa notion, sa projection métaphorique — agit comme pôle de l'académisme.

A propos de l'*homme*, la P.S.U. a monté un dispositif disparate, mais efficace. Elle définit des registres multiples, dont elle joue, s'autorisant à passer de l'un à l'autre lorsque les circonstances de son argumentation rhétorique l'y contraignent. Répétons encore une fois, et sans que ce soit probablement la dernière, qu'il n'y a dans un tel montage aucune délibération, aucun calcul (ou sinon d'une façon bien partielle) : l'ordre commun l'a imposé comme une de ces « évidences » que le discours universitaire a à prendre en charge, au mieux de ses moyens. La notion d'*homme* recueille en soi des traditions et des écoles diverses : elle permet de les placer les unes à côté des autres, dans un lieu aux frontières si imprécises que ne surgit, en apparence, aucune difficulté. Le même manuel — par la grâce du programme dont il traite — peut emprunter ses « preuves » à l'homme = vécu, à l'homme = nature, à l'homme = condition, à l'homme produit biosociologique, à l'homme = personne, à l'homme = sujet de la *praxis*, sans qu'il en coûte la moindre contradiction (il pourrait, de la même manière, sans aucun doute, se référer à quelque autre avatar de l'humanité que nous n'avons point su répertorier ici).

Au vrai, la référence à ce que Staline appelait — non sans un noir humour — « le capital le plus précieux » est foncièrement rassurante. Elle permet de multiples opérations rhétoriques dans la mesure où, très banalement, elle administre le paralogisme, selon la bonne dénomination de l'Ecole : à un même *mot* correspondent des « objets » différents, mais qui ne sont pas sans analogie. Qu'une même analyse morale — celle qu'exige le chapitre consacré à la responsabilité, par exemple — fasse appel, dans le même paragraphe, dans le même « raisonnement », au *vécu* (voyez *Crime et Châtiment !*), à l'individu comme effet naturel et social (condamnez le vilain Lombroso, disciple de Jansénius — et cependant les dysharmonies chromosoniques...) et à l'exigence personnaliste, elle ne risque rien : c'est, tout au long, le même terme qu'elle utilise, les mêmes confusions qu'elle cultive, l'identique illusion de simplicité vraie qu'elle entretient.

Précisons : alors que la « conscience psycho-philosophique » appartient déjà au domaine plus sérieux, en apparence, de la réflexion, la référence à l'*homme*, comme catégorie et comme matériau, assure à la P.S.U. un lieu commun véritablement *commun*, où se distribuent, au petit bonheur la chance, les banalités véhiculées par lesdits *mass media* et les banalités, déposées par la tradition philosophique telle que l'interprète l'académisme. Le jeu rhétorique, dès lors, est indéfini : nul ne sait plus à quel niveau il se situe ni de quoi il est question, de celui qui parle et de celui qui écoute, de l'enseignant et de l'élève, du juge et du candidat. De l'*homme*, sur l'*homme*, pour *l'homme*, tout peut être dit qui rencontre un écho, puisque l'*homme* est précisément le *n'importe quoi* surdéterminé par l'habitude idéologique des XIXe-XXe siècles : l'objet-sujet de la parole universitaire dans sa pratique dissertante ; le thème adéquatement confus qui permet à la fois de traiter de cas de conscience (singulièrement), de l'enfance délinquante (en particulier) et de la lutte des classes (en général).

Voyons de plus près les diverses « incarnations » de cet *homme* académique, étant bien entendu qu'au sein de la rhétorique P.S.U., telle qu'elle figure dans les manuels, aucune, en général, ne se donne à l'état pur et que l'argumentation opère de constants passages d'un avatar à un autre.

Humanisme I : le vécu.

L'*homme*, c'est d'abord, dans cette optique, le *vécu*, c'est-à-dire la conscience empirique en tant qu'elle s'incarne, qu'elle est au monde. Nous avons suffisamment insisté sur le premier lieu commun psychophilosophique pour n'avoir pas à analyser longuement cet aspect à peine nouveau de l'académisme. La psychophilosophie conduit de la « conscience naturelle » au *Moi-Je* en l'enrichissant progressivement de fonctions (ou facultés) qui lui confèrent quelque chose comme la plénitude. Toutefois, à l'issue des chapitres de psychologie, c'est encore un sujet séparé, abstrait qui se dresse. Certes, il y a déjà le corps ; mais c'est le corps du sujet.

Il importe, si l'on veut rejoindre véritablement le concret — cet élève tassé derrière son pupitre, mais qui a des camarades, des amies peut-être, qui s'intéresse à la tragédie du Biafra, qui lit les pages économiques ou religieuses du *Monde,* qui va même jusqu'à avoir, éventuellement, des engagements politiques —, de sortir de la subjectivité, serait-elle repeuplée. Mais il faut aussi maintenir le pivot *Moi-Je,* sans lequel la rhétorique philosophique s'effilocherait. Le vécu est venu, à point nommé, pour offrir une première plate-forme commode, qui permet en particulier de passer, sans trop de difficultés, de la psychophilosophie à la morale théorique (et à ses cas), à la morale dite pratique (les problèmes sociaux, politiques, etc.), à l'esthétique et à tout ce que la philosophie générale comporte d'expérience et d'existence. Grâce à lui, la réflexion accède à son assise, à ce niveau originaire dont tout va pouvoir sortir : le pré-réflexif, les catégories philosophiques, et qui se situe en deçà des divisions abstraites âme/corps, individu/société, moi/monde, immanence/transcendance, expérience/discours.

Le vécu a d'étranges privilèges : il est présence de soi à soi ; mais il est en même temps, dans la profondeur de son tissu, présence du corps, du monde, des autres, de l'Autre... Qu'on entende clairement : il ne s'agit pas ici d'argumenter contre ce courant de pensée quasi contemporain qu'on a coutume d'appeler « existentiel ». Ce serait médiocre attaque que celle-ci, qui abaisserait et l'attaqué et l'attaquant, et n'atteindrait certainement pas sa cible. S'il y a à critiquer l'existentialisme comme nouvelle manifestation de la pensée spéculative, c'est autrement qu'il conviendrait de le faire. Le lecteur a dû remarquer, d'ailleurs, que cet essai n'attaque ni ne critique ; il se contente de décrire. Et ce qu'on décrit en ce lieu commun n° 2, c'est le type de récupération, d'intégration auquel procède l'académisme. Grâce à la rhétorique de la P.S.U,. le vécu « consolidé » devient cette hypercatégorie fournissant le terrain dit concret où se recoupent, se recouvrent, s'affrontent toutes les expériences, où enseignants et enseignés communiquent, communient et dialoguent : tout y est « intéressant », toute expérience mérite d'être contée et vaut pour preuve. Le fameux Autrui — « sujet » de tant de dissertations — fait son apparition niaise et grimaçante et, avec lui, la société, les relations interindividuelles, la morale comme registre spécifique de réflexion...

L'académisme, ici, paraît se renouveler : il trouve un meilleur terrain pour justifier sa prétention à la neutralité. Ce point de vue supérieur, extérieur, dont il s'est prévalu, d'entrée de jeu, en invoquant une tradition bimillénaire et en affichant ses héros — Socrate le martyr, Descartes le cavalier, Spinoza le polisseur, Kant l'ascète —, il lui faut maintenant l'affermir un peu plus, lui conférer le poids de la « réalité ». Le vécu vient à la rescousse : c'est la neutralité extrême et, qui plus est, incarnée. Dès lors, « en classe », à côté des résumés de cours et des corrigés de dissertations, à côté des lectures de textes — nécessaires à la préparation sérieuse du baccalauréat —, se développent les dialogues, les échanges, où chacun est en droit de communiquer les expériences qui éclairent le cours... Bref, l' « arôme spirituel » au carré ! La référence au vécu, recours de la pensée spéculative dans sa retombée contemporaine, est la complète dérision : car Platon montrait, lui, au moins, que des expériences du stratège Lachès, il n'y a aucune leçon à tirer, sinon celle-ci : l'inanité des expériences, qu'on les prenne immédiatement ou médiatement pour preuve...

Humanisme II : la nature humaine.

Avec la *nature humaine,* deuxième manière d'être de l'*homo philosophicus vulgaris,* on se trouve exactement dans la même perspective. Mais le langage n'est pas le même et, du coup, d'autres facilités se révèlent. Cette fois, on ne raffine pas, au moins au début : l'académisme accepte de se situer sur le terrain de son pseudo-adversaire : le sens commun, la pensée vulgaire. Comme lui, elle admet l'existence d'une « humaine nature », hors de l'espace et du temps, présentant, bien sûr, « concrètement », d'importantes déviances, mais qui peuvent toujours être rapportées à un fond commun. La philosophie du vécu se réchauffe au creux de l'empirie ; celle de la nature humaine s'installe tranquillement dans l'Etre. Elle est vieillotte, mais efficace. Elle a le grand mérite pédagogique d'être claire et de donner lieu à des déductions rassurantes. Au mieux, c'est de Thomas et de Malebranche qu'elle est, à la fois, la retombée ; de nombreux manuels antérieurs aux années 1925, se placent dans cette perspective.

Donc, on commence par l'être de l'homme en tant qu'il est donné ; qu'il est donné *dans* l'Etre précisément. Le voici, dès lors, investi d'un certain nombre d'attributs essentiels qui le définissent en son fond, chaque individualité n'étant finalement qu'une variation autour de cette réalité stable. Cet homme-là, on l'a déjà rencontré, dans l'analyse du lieu commun nº 1 : doué de sensation d'imagination, de mémoire, de perception... et de personnalité. Ici, cependant, il se charge de caractères supplémentaires : de même que le passage du *Moi-Je* au vécu était une réalisation, celui de l'*homo psychologicus* à la nature humaine est une « concrétisation ». L'homme, en tant que *nature,* c'est le fond auquel s'ajoute la culture, c'est-à-dire l'histoire, les sociétés et leurs transformations ; il est ce substrat, cette subsistance, ce noyau tout préparé à recevoir les déterminations essentielles ou accidentelles qui caractérisent l'homme tel qu'on le perçoit, maintenant et ici, à travers son être et son devenir.

Qui ne voit la supercherie ? Il y a un donné *a*, le seul vraiment qui compte : l'*homme* tel qu'on le reçoit, tout ficelé, de l'idéologie courante et qu'on doit exhiber comme réalité sans fard, « avec ses qualités et ses défauts », comme on dit. On construit alors un autre donné *b*, qui n'est autre que *a* auquel on a soustrait les prétendus apports du « temps »... La nature, c'est l'homme posé comme réel, *moins* la culture : rien d'autre, donc, qu'une entité abstraite fabriquée pour donner consistance à l'image de la réalité humaine qu'on tend à imposer. Là encore, la P.S.U. travaille simplement à présenter d'une manière plus subtile, plus rhétoriquement assurée, les banalités véhiculées par l'opinion commune : la référence à la nature humaine permet, en morale, en particulier, d'assener quelques vérités premières du genre « l'homme n'est ni ange ni bête et qui... » ; « il n'est pas nécessaire d'espérer pour entreprendre ni... ». Toute la sagesse humaniste se déverse, avec ses formules marquées au coin du beau style, des sentences remarquables de La Rochefoucauld aux formules éclairées de Valéry et de Camus, en passant par celles de Pascal et de Rivarol. Les « sujets » de dissertation en fourmillent, qui tous contraignent l'élève, l'étudiant à présupposer une essence omnitemporelle de l'humanité, sur laquelle il a à statuer...

Humanisme III : la condition humaine.

Tout cela est bien dépassé, objectera-t-on. La pensée contemporaine est bien au-delà de ces généralités abstraites ! Il suffit de consulter les annales des sujets donnés aux divers baccalauréats de philosophie ou, pire, les thèmes de culture générale proposés aux candidats aux grandes écoles scientifiques, pour savoir que rien n'a vraiment changé. Parce qu'il faut faire du nouveau et donner du *vibrato* romantique à des problématiques vieillies, la nature humaine est souvent présentée aujourd'hui comme *condition humaine.* Celle-ci est comme la synthèse maladroite du *vécu* et de la *nature :* elle vise à intégrer l'analyse réflexive, dont se prévalent les philosophes de la substance-homme, et l'expérience dite existentielle. Du coup, *a* (= nature foncière), *b* (= « homme concret »), *c* (= la culture, le devenir, l'histoire) se télescopent. On abandonne l'aristotélisme (ou le cartésianisme) pour s'installer dans une autre contingence argumentative. Ce n'est plus une substance (ou essence) qui constitue le fond, mais une situation...

La « concrétisation » est différente, en apparence : on ne parle plus de facultés, ni de fonctions ni de structures ; on fait appel à des dimensions plus « profondes ». Au sein de la P.S.U., à la mythologie philosophique aristotélo-cartésienne se substitue une autre mythologie empruntée, ici et là, à Hegel, à Kierkegaard, à Marx, à

Nietzsche, à Freud, à Heidegger (tenu pour le dernier en date de ces hérauts du *vibrato*). Ce n'est plus l'imagination, la mémoire, la connaissance d'autrui, la volonté qui sont requises pour mobiliser l'intérêt, mais la mort, l'angoisse, le sexe, le travail, la violence, la transparence... N'importe quel travail, n'importe quelle mort, bien sûr ! La « psychologie » que développait Malebranche, pour abstraite qu'elle ait été, avait du moins le mérite de la cohérence interne : la référence à la condition humaine (humanisme III) donne l'occasion d'une nouvelle surenchère rhétorique.

Le meilleur exemple qu'on puisse donner de ce genre de verbiage qui encombre les manuels « modernistes » est sans doute l'importance exhorbitante accordée à la « dialectique du Maître et de l'Esclave ». Depuis que Hegel figure comme « auteur » ou comme « thème » des concours de recrutement des professeurs de l'enseignement secondaire — l'événement a moins de vingt ans ! —, depuis que l'hégélianisme a été intégré par l'académisme, la partie B, IV, A de la *Phénoménologie de l'esprit* est devenue, résumée, contrôlée, clarifiée, la tarte à la crème de tout enseignement résolument progressiste. C'en est le morceau de bravoure ! Oubliant ou feignant d'oublier que cette dialectique est seulement un moment dans la constitution de l'Esprit et que, dans l'œuvre hégélienne, elle conduit à une forme encore tout abstraite de « liberté », on lui confère la vertu de révéler conjointement toutes les dimensions de la condition humaine. Et il est bien vrai qu'avec un peu d'habileté rhétorique et quelques « faits » bien choisis, on peut y voir une illustration de multiples problèmes « existentiels » : le désir et l'Autre, le désir et la mort, la guerre et la peur, la sexualité animale et la sexualité humaine, la guerre et la révolution, la lutte des classes...

De ces quelques pages admirables, mais situées — dans une *époque* et dans une *logique* —, se dégagent bien vite ces approximations brillantes qui permettent d'être bachelier (ou agrégé — c'est tout un !) sans avoir à satisfaire à l'exigence minimale du contrôle conceptuel et d'analyse des pratiques réelles. La dialectique du Maître et de l'Esclave est à cette conception de l'homme de la P.S.U. modernisée ce que le *Cogito* affadi est à la psychophilosophie et la première règle de la morale kantienne à la morale ! Et ici encore, il faut poser la question que nous évoquions à propos du lieu commun nº 1 et répondre à une objection. On dira, en effet, avec une apparence de bon sens, que cette référence à une brève section du texte hégélien a un double mérite : elle rend accessible ou, au moins, intéressant un « auteur difficile », d'une part ; elle prépare, d'autre part, de jeunes intelligences formées aux seuls exercices scolaires à connaître les « dures réalités » du désir, de l'agression, de la reconnaissance, des conflits interindividuels.

Précisément, là est la supercherie : il en est comme du *Cogito*. Quand on *commence* de cette manière, on ne saurait en sortir, quelque habile qu'on soit et quelque coup de force qu'on prétende accomplir. Et, en tout cas, dans l'esprit du « bon élève » — celui qui a « compris » —, la confusion est introduite : par la médiation d'un Hegel simplifié s'introduisent les interprétations empiristes de Marx et de Freud. On commence à jongler — le recours à l'existence permettant de négliger tous les problèmes méthodologiques — avec le désir, le travail, la guerre, la mort, la révolution. De l'œuvre *scientifique* de Marx et de Freud, des pratiques effectives qu'ils ont réfléchies ou instituées ne demeurent plus que des synthèses verbales dont se prévaut l'opération d'intégration idéologique. Tout va bien pour « la presse intellectuelle » : jusqu'à affadir H. Marcuse, qui, cependant, dans ses derniers textes, n'est déjà pas bien relevé ! Notons, pour en finir, avec le lieu commun secondaire qu'est la condition humaine, l'usage frauduleux qui est fait des textes de Martin Heidegger — ceux singulièrement qui portent sur la technique — qui introduiraient à une invalidation générale de la société dite technicienne (ou technocratique).

Humanisme IV : l'homme comme effet biosociologique.

L'homme a encore une autre figure, qui n'est que la contradiction abstraite de la précédente. Nous ne nous y attarderons guère, car elle est très ennuyeuse. Mais il faut l'évoquer, tant elle est puissante ; et cela d'autant plus qu'elle s'alimente à une autre interprétation positiviste de Marx qui fut à la mode, entre autres, il y a une quinzaine d'années en France. Ce nouvel avatar, qui s'alimente confusément à l'œuvre de Comte et à la lecture plekhanovienne de Marx, condamne comme *métaphysiques* les « humanismes » académiques dont nous venons de tracer les traits principaux. Et, certes, il n'a pas tort : la référence au *vécu,* à la *nature* de l'homme ou à sa *condition* présupposent une réalité omnitemporelle, un *fait* que l'histoire habillerait de vêtements différents, plus ou moins bigarrés, plus ou moins brillants, plus ou moins adéquats, mais qui resterait foncièrement identique à soi-même. C'est méconnaître l'évolution, le progrès (linéaire ou dramatique) ; c'est isoler l'humanité de son contexte biologique et social ; c'est souscrire à une conception théologique de l'homme comme « créature » (ou à sa négation abstraite, de l'homme comme « pur donné »).

L'évolution des sciences commande de renoncer à de semblables préjugés, ajoute l'humanisme IV. Le progrès des disciplines positives a prouvé que l'homme est un produit de l'évolution naturelle, d'abord ; de l'évolution sociale, ensuite. Comte avait bien raison de ne pas faire figurer la psychologie parmi les entreprises scientifiques : le « fait psychique » se trouve à l'entrecroisement complexe de deux devenirs articulés et, s'il est nécessaire d'analyser l'homme comme conscience empirique, comme subjectivité, c'est en combinant les informations biophysiologiques et sociales qu'on y parviendra. Tout le reste est métaphysique. Sans doute, ce genre d'explication comportera-t-il toujours un résidu échappant à la rationalité stricte... Le positivisme, dans sa version naïve, qu'on retrouve dans de nombreux manuels (voir, par exemple, une fois de plus, les diverses justifications des « insuffisances plaisantes » de la caractérologie), se réjouit de cette lacune ; il comprend celle-ci comme une manifestation supplémentaire de sa constante « ouverture » sur la diversité du réel produit par le devenir différencié...

Dans cette optique, le marxisme ainsi banalisé disposerait, il est vrai, d'un instrument logique plus efficace : grâce à l'outil dialectique, il aurait la possibilité de combiner plus habilement les multiples informations qu'offrent les sciences, à chaque moment de leur développement. Car l'évolution naturelle et l'évolution sociale ne se recoupent pas aussi simplement ; elles se succèdent dialectiquement et, du coup, se renforcent. Nous y sommes : grâce aux diverses lois de la dialectique — celle dite du « bond qualitatif », singulièrement, qui transforme brutalement en changement de *nature* une lente évolution quantitative —, l'humanité est *réellement* produite : comme espèce biologique différenciée, comme société animale supérieure, comme source de conduites symboliques, comme histoire, comme luttes des classes, comme devenir dramatique et, cependant, rationnel, donc comme champ d'actions volontaires parmi lesquelles il y a à choisir en connaissance de cause.

Les humanismes I, II, III conduisaient à une philosophie (métaphysique) de la liberté ; l'humanisme IV s'installe, à la lumière des sciences, dans un volontarisme résolu, qui éclaire la science. Tout cela est bien rassurant ! Ce statut que les hommes croyaient, jadis, tenir de Dieu ou, naguère, de son absence, provient de lois naturelles, attestées par des recherches expérimentales. Et ces lois sont d'autant plus remarquables qu'elles engendrent *dialectiquement* cet ordre différent, proprement humain, où, sachant obéir volontairement à la nécessité, l'homme parvient à la commander ; où, mieux même, les particularités individuelles sont entendues. La dialectique de l'humanisme IV a des ressources rhétoriques inattendues : Pascal n'est pas la noblesse de robe, Valéry le grand bourgeois de l'agence Havas, ni Baudelaire la bourgeoisie lucide et désespérée. Mais chacun d'entre eux est cela, plus les médiations socio-psycho-dialectiques que l'analyste ingénieux pourra indéfiniment élaborer et qui permettront de rejoindre, après des détours, la subjectivité de ces créateurs...

N'entrons pas dans ces polémiques trop circonstantielles : que la P.S.U., modalité humanisme IV, s'épuise et se complaise en luttes abstraites, entre « liberté existentielle » et « volontarisme éthico-politique », et que, du coup, l'humanisme, en général, joue à se dévorer soi-même, ce n'est qu'anecdote. Le résultat vrai de ce pseudo-conflit est que l'une et l'autre partie souscrivent à cette idée que de l'*homme*, en général, on peut parler rigoureusement, qu'il est une *donnée*. Quelle différence y a-t-il entre celui-là qui le *reçoit*, sans plus — comme vécu, comme nature ou comme condition — et cet autre qui le prend comme *produit* de « circonstances » biologiques ou sociales, dont il est évident qu'elles sont elles-mêmes produites ? Aucune, sinon que le premier éternise une nature alors que le second immobilise une histoire. C'est encore accepter la notion de « nature humaine » que de s'attacher à l'expliquer comme *nature historique,* linéaire (positiviste) ou dialectique (marxiste).

Précisons : de l'homme, on peut parler rigoureusement ; pourvu simplement qu'on sache qu'il n'est pas la catégorie principielle, qu'il est une notion élaborée il y a un siècle — peut-être un peu plus — par la pensée spéculative pour répondre aux questions exorbitantes que les pratiques scientifiques, politiques posaient à celle-ci ; pourvu qu'on comprenne cette notion (et ses modalités) comme produit idéologique, destiné à assurer — à une époque déterminée — la survie de ce genre spéculatif.

Au fond, la vérité de toutes ces références humanistes, c'est une assertion solide et précise de la pensée philosophique traditionnelle. Il n'y a pas à jouer et à tenter de faire accroire que l'*homme* s'enracine soit dans une expérience primordiale, à la limite, ineffable, et cependant fondatrice (modèle I), soit dans une structure prédéterminée de l'Etre (modèle II), soit dans un privilège existentiel (modèle III), soit, enfin, dans une évolution physico-bio-sociale (modèle IV). Il n'y a pas à prétendre qu'il est vrai parce qu'il est de l'ordre du *fait*. Plus efficace, plus sérieuse est, en effet, la perspective qui sous-tend la philosophie classique et que révèle, entre autres, l'œuvre pratique de Kant (et, d'une autre manière, les analyses de Jean-Jacques Rousseau). Dans ses manifestations les moins superficielles, la P.S.U. répercute une attitude selon laquelle l'homme n'est pas une *nature*, mais une *exigence ;* non point un *fait*, mais un *droit*.

Ce serait un autre travail que de discuter du « bien-fondé » et de la signification idéologique de cette pointe extrême de la *philosophia perennis* quand elle s'exprime dans le *Contrat social* ou dans la *Critique de la raison pratique*. L'académisme universitaire — sauf exceptions rares, si l'on consulte les manuels usités — ne peut pas administrer la rigueur de Rousseau ou de Kant. Elle est tenue par ses présupposés, ceux de la psychophilosophie. Dès lors, quand bien même elle expliquerait avec soin la constitution de l'ordre intelligible, elle ne saurait esquiver les objections de ce bon sens supérieur qu'elle a pris, par ailleurs, pour critère. Le concept d'homme auquel Rousseau tentait de donner un statut, le *moi intelligible* que définissait Kant se trouvent, bientôt résorbés, propagande chrétienne aidant. Il n'en reste plus que ce double rhétorique, dérisoire qu'on appelle la *personne* et sa *dignité*...

Humanisme V : le moi moral.

L'homme de la P.S.U. — modèle V —, c'est cette « réalité » à la fois empirique et transcendantale qui promeut les valeurs. Belle et subtile invention d'une idéologie exsangue que celle de la notion de valeur (aussi belle et subtile que la découverte de la notion de caractère par la psychologie académique). Elle a, d'abord, le grand mérite d'inscrire l'homme dans le double registre du besoin et de son dépassement ; elle reconnaît l'humanité comme participant, d'abord, au domaine des bêtes brutes ; mais elle l'en dégage bientôt, Blandine, Jeanne d'Arc, Stakhanov, le père et la mère penchés sur le berceau de leur enfant malade, prouvant que « l'homme ne vit pas seulement de pain ». Max Scheler à la rescousse. Et voici que s'étale le grand jeu de tarots au sein duquel chacun selon son atavisme, son courage, ses « obstacles » va pouvoir choisir sa configuration éthique...

La valeur a, secondairement, un étrange pouvoir : elle est consistante/ inconsistante. Consistante, d'une certaine manière, elle s'impose comme réalité (n'est-il pas vrai qu'il y a l'honneur, l'efficacité, le bonheur, etc.) ; mais qui la confirme dans son être sinon le choix qu'elle suscite et qui, du coup, lui confère l'existence ? Inconsistante, donc, mais réalisée par le courage de l'agent moral. La nouveauté est grande, apparemment : l'idole, le Bien, donnée par la nature, par la société ou par Dieu, s'efface au profit de ce fait subjectif/objectif qui assure, en même temps, les droits imprescriptibles de la liberté et les devoirs qu'implique l'engagement.

On est au creux du romanesque ! A l'étiage de la P.S.U., à sa conclusion vraie (une de ses conclusions) ! Situons-nous sur le terrain même de cette opération rhétorique, qui vise à réduire l'élève, l'étudiant, à le mettre « en face » de son obligation, de sa responsabilité. L'axiologie suppose un sujet empirique et libre, d'une part et, d'autre part, la transcendance de valeurs qu'on peut, par ailleurs, répertorier en tableaux exhaustifs. Recommence la propagande démagogique dénoncée dans le chapitre précédent : quel jeune garçon (ou fille) renoncerait à cette liberté qu'on lui offre (sur le papier) ? Comment aurait-il la force de contester cette table de valeurs qu'on lui présente comme inductivement établie ? Qu'en reste-t-il ? La soumission intégrale à l'opinion dominante, qui — si le problème est posé de cette manière dérisoire — le conduit à se vouloir professeur d'anglais ou ingénieur des ponts et chaussées, après trois semaines de vertige « libertaire ».

L'axiologie, qui se justifie du seul fait qu'elle affirme remplacer efficacement — d'un point de vue humaniste — les morales du Bien, théologiques et autres, fonctionne comme légitimation tranquille de toutes les illusions de « liberté », de « désaliénation », d'« intégral épanouissement de la personne » que véhicule l'ordre idéologique — à chaque époque de son développement. Elle a utilisé Kant, comme bourrique, pour accomplir la moitié du parcours ; elle se sert d'une lecture mensongère de Nietzsche pour couvrir le reste. Elle s'adosse à la « modernité » : ce qu'elle institue, c'est la différence « objective », « logique », « normale », « légitime » entre celui qui a « voulu » être inspecteur des finances et celui qui a « voulu » être maître auxiliaire de français-anglais-géographie au lycée agricole de Saint-Quentin.

Humanisme VI : le moi de la « praxis ».

L'humanisme culminerait ainsi dans un « moralisme » aussi pauvre. Ce serait faire injure à la richesse de ses ressources idéologiques que de le croire. Il y a un nouveau repli qui, lui aussi, part de la critique kantienne des dogmatismes moraux et prend pour thème l'« exigence pratique ». L'humanisme VI — le dernier que nous avons cru devoir répertorier ici — tient pour acquise cette idée qu'il y a nécessairement un sujet de l'action. S'accomplit, en fait, ici, un mouvement analogue à celui qui conduit de la notion de « vécu » à celle de « condition humaine ». Le sujet pratique, tel que le définit la *Critique de la raison pratique* est abstrait, triste, perdu dans le vertige de ses intentions et dans son héroïsme inutile (c'est au moins ainsi que la tradition française prend l'œuvre morale de Kant, ignorante, par exemple, de la *Métaphysique des mœurs*). Pour rejoindre le « concret », la « vie réelle », il importe de repeupler la pratique de déterminations effectives (avec ce projet constamment maintenu et que nous avons déjà rencontré, de trouver le lieu « neutre » et « concret » où se rejoignent enseignant et enseigné, dans leur expérience commune). Il y a le chemin indiqué par Max Scheler et par toutes ces doctrines qui veulent réfuter/critiquer/compléter la théorie kantienne par des contenus de type « psychologique ». Il reste difficile de faire se pencher — même imaginairement — un professeur, serait-il dévoué, et un élève, serait-il « bon », sur un berceau secoué par les chaos d'une coqueluche ; et la « fusion » ainsi obtenue a peu de chances de dépasser celle qui soude, provisoirement, une troupe de boy-scouts. La sympathie a ses limites.

Une autre tradition, empruntée à tous les progressismes du XIXe siècle, fournit d'autres arguments rhétoriques, plus efficaces, et qui correspondent mieux aux préoccupations de l'homme contemporain. L'analyse historique qui conduit à l'humanisme VI a, elle aussi, le mérite — qu'on tient pour suprêmement pédagogique — de la clarté. Le sujet pratique de Kant « achève » la métaphysique, fondée sur l'Etre ; un être : l'homme, s'y définit comme *agir,* comme liberté, comme création. Mais cette action demeure abstraite, irréelle, car la réflexion kantienne reste tributaire de ce qu'elle dépasse. La révolution industrielle, la Révolution française introduisent d'autres dimensions. A la prééminence de la catégorie d'Etre, se substitue celle du Devenir (ou d'histoire). L'homme changeant, la philosophie change d'objet : elle était philosophie de l'Etre ; elle devient philosophie de l'histoire.

Dès lors, le sujet s'habille autrement. Le véritable dépassement de l'empirique (malheureux Hume, qui y a cru !) et du transcendantal (triste Kant, qui s'y est dévoué !) est opéré. Le sujet qu'on espérait, le voici, en chair et en os. Quel est-il ? On ne sait pas encore très bien. Mais ce qu'il fait, dès maintenant, on peut le dire : c'est l'histoire. Et son action, qu'il faut consacrer par un terme d'autant plus noble qu'il est plus mystérieux, c'est la *praxis.* L'authentique sujet de l'humanisme VI, ce nouvel avatar de l'« homme », c'est la totalité humaine en tant qu'elle sécrète, d'elle-même, par elle-même, le principe et le modèle de son propre mouvement.

A dire les choses moins simplement, l'humanisme du Devenir a les mêmes problèmes que l'humanisme de l'Etre. Il s'agit toujours de la refonte de la métaphysique ; il convient, un peu plus encore, de fonder le statut du discours philosophique, de ces textes qui prétendent à la juridiction universelle ; de justifier l'ancienne distinction platonicienne : *doxa/epistêmê*, la plus moderne : *empirique/transcendantal*, la contemporaine : *illusion/vérité*. Tous les hommes sont les sujets de l'histoire, tous se perdent ou se gagnent dans et par la *praxis*. Mais tous ne sont pas agents de la libération, de la désaliénation. Il faut introduire une *différence*, qui définisse le sujet *réellement* réel.

Saint-Simon ne faisait guère de manières à ce propos ; il instituait une « classe industrielle », dont il attendait toute solution. Auguste Comte se déléguait, personnellement, comme professeur, à cette fonction révélatrice. Durkheim, avec une modestie insistante, Karl Manheim, plus démonstratif, Max Weber, averti, lui, des affaires politiques, accordaient les uns et les autres, dans l'optique comtienne, une fonction directrice (« transcendantale ») à la « classe intellectuelle ». Et il y a des textes de Lénine, de Boukharine, de Trotsky qui, pris « abstraitement », hors de leur contexte politique, vont dans le même sens.

La P.S.U., dans sa modernité, ne se préoccupe pas de ces interprétations. Elle est à la recherche d'un sujet massif et convaincant. Feuerbach, l'hégélianisme de gauche, le jeune Marx le lui fournissent. C'est l'humanité matérielle productrice ; c'est le prolétariat. Elle absorbe, du coup, comme étant de son ressort, la révolution bolchevique et l'histoire mondiale depuis 1917. Elle trouve un lieu nouveau, proposé à l'enthousiasme de ses ouailles, l'homme désaliéné, défétichisé, prêt à s'épanouir dans l'infinité de ses richesses concrètes. L'humanisme VI est verbalement d'extrême gauche : il disserte volontiers sur les vertus éminentes que possèdent spontanément les exploités, ouvriers et colonisés ; il donne dans le messianisme et le prophétisme. La « nature humaine » se dédouble, au sein de cette philosophie de l'histoire : à la fin, se manifeste l'homme absolu, « radicalement » désaliéné, libre de toutes les libertés, vivant dans la transparence, ayant aboli toutes les « répressions » ou « surrépressions », intérieures ou extérieures ; *maintenant*, est donné l'agent de cette libération intégrale, le prolétaire qui, en vertu d'une dialectique ressortissant beaucoup plus à la thaumaturgie logique de Hegel qu'à une analyse scientifique-critique des sociétés, ayant souffert de la dépossession complète, est investi de la capacité de tout prendre, de tout reprendre et d'accomplir la révolution décisive accouchant, enfin, de cette humanité pleine et joyeuse que promettaient les siècles.

L'humanisme VI possède un bon pouvoir de rassemblement ; s'inscrivant dans la philosophie de l'histoire, modalité de la pensée spéculative dont la fonction est précisément de synthèse, de réintégration des éléments jusqu'alors tenus pour « étrangers » et « déviants », il fournit le lieu de la réconciliation et du dialogue. Grâce à lui, le spiritualiste Teilhard de Chardin et le « matérialiste » R. Garaudy peuvent communiquer, échanger leurs arguments : pourquoi l'*oméga* final du curé-savant, la *noosphère*, ne serait-il pas la société sans classe telle que la présente celui qui, après bien des efforts, a réussi à se faire passer pour l'enfant terrible de l'orthodoxie « marxiste » ? La différence est mince, en effet : celui qui croyait au ciel, celui qui n'y croyait pas ! La rose et le réséda !

A évaluer plus précisément l'enjeu idéologique, il apparaît avec clarté que la philosophie de l'histoire — l'humanisme VI — est la vérité, le sérieux de l'opération humaniste ; son point extrême et sa dérision. Du *Cogito*, intenable (et quand même il serait enrichi de déterminations empiriques), on passe à la *praxis*, au *sujet* de l'histoire. La mutation, le progrès semblent considérables, surtout si l'on invoque la classe ouvrière, le destin de l'humanité ou de la culture. Qu'il ne s'agisse, en fait, que d'une redite, d'une remise à jour moderniste, d'une manière de mettre, benoîtement, Marx sous la houlette de Hegel (et de Descartes), de généraliser le « Je pense » et de justifier l'idéologie constante de la métaphysique, de cela la P.S.U. ne se préoccupe pas. Elle n'a d'ailleurs pas à avoir ce genre de soucis : il lui suffit d'entretenir l'illusion d'un discours « synthétique » qui regroupe, sous la catégorie de l'expérience de tout un chacun, l'ensemble des doctrines et des « faits » que l'époque a recueillis comme significatifs. L'homme historique — celui que la philosophie de l'histoire a déjà unifié, depuis Augustin, sous le concept d'un temps unique — constitue ce lieu, en apparence, agité, qu'une rhétorique habile a bientôt fait de pacifier et d'organiser, dans l'optique d'une révolution verbale.

Le projet de l' « homme total » est devenu désormais l'alibi permettant d'économiser non seulement toute recherche scientifique-critique, mais encore d'ignorer le travail d'analyse grâce auquel pourraient s'organiser la mise en question des institutions, dans tel ou tel domaine empirique, et l'activité politique générale.

L'idéologie dominante est humaniste, de Louis Armand au cardinal Suenens et à Roger Garaudy. Le progressisme chrétien est humaniste lorsqu'il oppose à l'autorité des textes et de l'institution religieuse l'imitation « toute nue » de Jésus-Christ et le retour à on ne sait quel christianisme originaire ; le progressisme de la Ligue des droits de l'homme et de ses remoutures, le tribunal Russell, par exemple, est humaniste lorsqu'il prend pour thème de son combat — bien légitime, d'ailleurs — la résistance de l'opinion publique, qui devrait être finalement triomphante, aux atteintes contemporaines aux droits naturels de l'humanité ; le progressisme post-prostalinien est humaniste, qui condamne avec modération la situation « difficile » des pays de l'Est européen et regrette, en l'approuvant, l'intervention soviétique en Tchécoslovaquie, au nom des « objectifs supérieurs » du socialisme ; le progressisme post-antistalinien est humaniste, qui revendique un socialisme démocratique, combinant idéalement les bienfaits de la rationalité économique et les droits imprescriptibles de l'individu ; le progressisme radical est humaniste, qui limite pour une intégrale désaliénation et qui propose comme objectif la totale gestion de soi-même par soi-même (et, du coup, par tous les autres, hors du « spectacle répressif ») ; le progressisme des « réformistes », qui s'appellent « technocrates », pour mieux cacher qu'ils ne sont que les techniciens incertains d'une science sociale qui n'existe pas, est humaniste lorsqu'il prétend avoir pour « valeur » l'amélioration de la condition humaine engagée dans les difficultés et les douleurs de l'ère industrielle...

Il est juste de noter ici la capacité anticipatrice de l'institution universitaire, aussi bien dans son programme de 1925 (et de la circulaire adjointe signée A. de Monzie) et de sa refonte de 1960. Tout se passe comme si — prémonition des inspecteurs généraux, pourquoi pas ? — l'enseignement philosophique avait compris à l'avance sa tâche : organiser sereinement le lieu d'accueil où se retrouvent dans un dialogue serré, mais courtois, traditionalistes et modernistes, modérés et extrémistes, réformistes et révolutionnaires, partisans de la *philosophia perennis* et fanatiques des « sciences humaines », rose et réséda.

Cependant, à l'évaluer, l'idée qu'il y ait prémonition des responsables n'est guère soutenable. Peut-être faut-il faire l'hypothèse, plus sérieuse, que les modalités diverses de l'humanisme, les catégories différentes auxquelles il se réfère et dont il joue, dans son argumentation, sont l'expression rusée, hypocrite, contestatrice modérément, malgré les apparences, de la fonction que le pouvoir — *volens nolens,* et quelques déboires qu'il y rencontre quelquefois — a imposée à l'enseignement public de la philosophie : remettre un bon ordre — alors que la religion est en retrait — dans une idéologie soumise («démocratie formelle» aidant) à un trop grand nombre de sollicitations contradictoires. La référence à la notion d'*homme* a été et demeure, semble-t-il, la bonne solution.

LIEU COMMUN N° 3 : LE CONCRET

Ce lieu commun, il conviendrait de le développer longuement. Son texte, cependant, n'aurait d'autre intérêt que celui d'une nomenclature des thèmes de la bêtise informée et satisfaite. La démonstration philosophique ayant perdu sa logique et son fondement, la référence à la tradition étant livrée à la contingence (cf. le lieu commun n° 4), le recours aux données épistémologiques étant condamné à l'archaïsme ou à l'arbitraire (cf. les lieux communs n° 5 et n° 6), la P.S.U., épuisée par les acrobaties que l'organisation du programme et le respect qu'elle doit manifester pour l'opinion dominante lui imposent, est contrainte de s'aplatir. Et, cela, surtout lorsqu'elle doit conclure, singulièrement sur des problèmes appelés concrets. Il lui faut bien parler de la famille, de l'Etat, du problème social et politique, des libertés publiques, de la colonisation et de son versant nouveau, le tiers monde. A quelle neutralité nouvelle va-t-elle faire appel pour trancher « en toute objectivité » ? Certes, on peut solliciter à nouveau Kant et, avant lui, Montesquieu et Rousseau ; on peut évoquer Marx et ses adversaires. Mais est-il bien sérieux, dans un domaine aussi « concret », de prendre pour appui des *doctrines ?* Puisqu'il s'agit de faits, n'est-ce pas les faits qu'il convient de prendre pour juges ?

Remarquons, en passant, que du même coup, la prétention à l'existence d'un ordre théorique, juge de tout fait et tout jugement, prétention qui est l'origine et l'armature de l'entreprise philosophique dans son ensemble, est abandonnée, purement et simplement, comme exorbitante ; que le discours philosophique revient, purement et simplement encore, à ce qu'il est devenu dans son parcours historique : l'expression apparemment sérieuse, parce que mieux élaborée, de l'opinion la plus répandue. La démission est complète : l'élève de « terminale », à qui on a fait croire que, désormais, un autre monde s'ouvrait à lui, retrouve les banalités de la presse et de la télévision, quasiment sans fard, cette fois. La liste des escroqueries ainsi opérées à l'occasion des chapitres du programme consacrés à la « morale pratique » ou aux parties « vécues » de la « philosophie générale » serait trop longue à établir, tant il y a de manuels et de malversations.

Le schéma utilisé pour construire le texte est banal : une exposition « impartiale » pose le problème (il y a une question de la famille, de l'Etat, de l'éducation, de la jeunesse, de la colonisation, de la grève, etc.) ; une brève analyse des positions prises, il y a longtemps ou moins longtemps, par les auteurs qui se sont intéressés à ces divers thèmes, est proposée ; il va de soi que ces penseurs sont intéressants (sinon on ne les citerait pas), mais partiaux (sinon on ne les citerait pas, *à côté des autres*, qui disent contrairement ou différemment). Mais vient le moment où il faut conclure : le fabricant de manuel, l'enseignant qui a pris à cœur de préparer son élève aux exercices écrits et oraux du baccalauréat, sortent de leurs chapeaux universitaires les cartes décisives : les faits qui — dit-on — sont têtus.

S'agit-il de la famille ? Voici qu'on note « objectivement » — à la suite des travaux sociologiques — que le *principe* familial n'a cessé de s'affaiblir, que la famille comme réalité s'épuise quantitativement et qualitativement, qu'il n'est plus possible de la tenir pour la « cellule sociale » ; mais, aussitôt, et sans donner la moindre explication, on compense ce que cette histoire pourrait avoir de subversif ; on remarque — tout aussi « objectivement », comme s'il s'agissait d'un fait, à prendre tout simplement — qu'aujourd'hui, la majorité des délinquants, des drogués, des « déviants sociaux », sont issus de familles désunies. Leçon des faits : la famille morte n'est pas vraiment morte puisque, sans elle, triomphent le vice et le désordre. Quant à l'essence de la « délinquance », de la « déviance », on l'ignore ; comme on met entre parenthèses les pratiques juridiques et policières qui accompagnent de façon nécessaire, institutionnelle, la défense d'un principe dont on constate « objectivement » le retrait effectif. Le *fait* est que la famille *doit* subsister. Il a été bien inutile, décidément, d'abrutir de pauvres jeunes gens avec Platon, Kant et Bergson puisque, au fond, l'objectif réel est de maintenir le pouvoir des Associations de parents d'élèves.

Autre exemple (et nous n'irons pas plus loin dans la lecture de ce dictionnaire de la platitude concertée) : deux systèmes économiques s'affrontent, dit-on (notons que c'est déjà manière de présenter « idéalement » les antagonismes réels, ceux que désigne le concept *lutte des classes*) : le capitaliste et le socialiste. De cette confrontation, il est bien entendu que l'enseignant-philosophe, intégrateur universel, réceptacle et responsable de la généralité, doit parler, et au plus haut niveau : dans les cours de « morale pratique », après avoir étudié la moralité selon Kant et, *contra,* selon Max Scheler. Il a donc à exposer les thèses en présence : comme s'il s'agissait d'une rubrique parmi les autres, il analyse les doctrines ; il fait le point rhétorique d'un conflit idéologique, comptant les arguments en faveur de ce camp et ceux en faveur de cet autre. Mais il faut bien conclure — terminer le chapitre, donner à l'élève le thème rassurant du dernier paragraphe de la dissertation qu'il aura à remettre un jour ou l'autre. On n'ose pas pencher pour une doctrine : ce serait contredire au principe de « neutralité » de la philosophie et contraindre la liberté de l'élève. Et, puisqu'il faut s'arrêter, achever matériellement le chapitre, il est nécessaire, en ce domaine « concret », de faire appel aux « faits ».

Dès lors, mélange indistinct de remarques de « bon sens », d'informations tirées çà et là, de recherches économiques ou sociologiques, référence faite aux principes de la moralité puérile et honnête, s'établit « factuellement » quelque chose qui ressemble au schéma suivant :

1° le régime capitaliste a *inconstestablement* multiplié les injustices (quelques illustrations misérabilistes ponctueront fort bien ce propos) ; il est responsable de la pauvreté des classes ouvrières au XIXe siècle ; il a suscité des opérations coloniales scandaleuses ; ses appétits, mal organisés, sont à l'origine de deux guerres mondiales fort cruelles ; aujourd'hui que le voici contesté, il n'a que ce qu'il mérite ; et il est bon que ses responsables apprennent, dans les faits, à ne pas se comporter d'une manière aussi excessive ;

2° le régime socialiste — « dans son ensemble » (?) — est « idéalement » bon ; il correspond, dans son principe moral humanitariste et dans sa volonté d'organisation, à l'ordre que la bonne rationalité exige. Mais il se heurte, dans sa réalisation, aux résistances d'une nature humaine capricieuse et intéressée. De plus, les circonstances ont fait que les révolutions socialistes n'ont pas eu lieu dans de « bonnes conditions » : du coup, se sont imposés comme socialistes des régimes soit « totalitaires », soit « anarchiques » ;

3° le fait est, poursuit la P.S.U., que l'exigence d'égalité, qui est légitime, trouve dans les Etats socialistes un commencement d'effectuation, mais que l'autre exigence, tout aussi importante, celle de la liberté, est plutôt l'apanage des Etats « capitalistes-démocratiques » ;

4° la contradiction serait-elle sans solution ? On ne saurait accepter un tel pessimisme. Un nouveau faisceau de « faits » intervient : les régimes capitalistes réels ne se socialisent-ils pas, puisqu'on y voit se renforcer, d'une part, les interventions de l'Etat, dispensateur du bien public et, d'autre part, se multiplier les « petits porteurs » de valeurs boursières, comme aux U.S.A. ? Les régimes socialistes ne reconnaissent-ils pas de plus en plus largement qu'il ne saurait y avoir d'efficacité dans la production sans référence à la responsabilité et aux profits individuels, comme en U.R.S.S. ?

5° la conclusion désormais est en place : les faits prouvent, avec la bonne volonté de chacun, que tout est prêt pour une réconciliation qui donnerait à chacun sa place, dans la fameuse « société industrielle », les oppositions se réduisant finalement à des différences de positions, de dispositifs, historiques et sociaux.

Remarquons que l'académisme universitaire, le plus souvent, ne se donne point autant de mal pour piper les dés et masquer la réalité de la lutte des classes, nationale et internationale. Il se contente, en général, de souligner, en recourant encore aux « faits », l'échec du socialisme (qu'il assimile tantôt à l'expérience du Front populaire en France, tantôt à l'Union soviétique) pour replacer le problème politique dans son cadre moral, pour le réduire aux déterminations de la conduite individuelle, c'est-à-dire pour le supprimer comme problème politique. C'est encore un « bon cas » lorsque la P.S.U. accepte de sortir des difficiles questions de l'introspection des cas de conscience, quand elle donne plus d'importance aux livres de Raymond Aron qu'aux films d'André Cayatte.

On pourrait multiplier les exemples (empruntés à ce que le programme de 1925 appelait *morale pratique* et aux parties « vécues » de la rubrique *philosophie générale*). Il est plus significatif, sans aucun doute, d'indiquer ce que veut dire cette opération rhétorique qui, brutalement, remplace ce qui servait jusqu'alors de tribunal ultime — l'*homme* sous ses manifestations multiples — par un recours pseudo-historique (ou pseudo-sociologique) au « fait brut ». L'hypothèse qui vient immédiatement, quand on pose un tel problème, c'est que le philosophe, enfin lassé de ses longs voyages dans l'intériorité, en vient au « concret » et que lui-même se réalise enfin. Le programme lui imposerait aussi cette redescente bénéfique dans la « caverne ». Le détour salvateur aurait été accompli, le voyage, psychophilosophique aurait porté ses fruits et il serait temps, maintenant, d'en arriver aux affaires réelles : la peine de mort, les affaires sociales, les conflits politiques, le dialogue et la violence, le temps et l'espace, la place de l'homme dans le cosmos...

Si réalisation il y a, elle est, dans la P.S.U., débile. Ce que l'académisme invoque comme faits, c'est un ramassis arbitraire d'informations ; et la raison en est que, reconnaissant, d'entrée de jeu, la juridiction suprême de la subjectivité, il est contraint de recueillir comme « preuves » ce que les subjectivistes interprètent comme telles, celles-ci ou celles-là. Le *fait* invoqué dans le lieu commun n° 3 n'est rien que le corrélat, le double, de la réalité exhibée comme décisive par le lieu commun n° 2 : l'*homme*. On redouble, « à l'extérieur », ce qui était tenu pour « fait intérieur ». On pourrait ainsi s'amuser à dresser un tableau de correspondance entre les six « avatars » de l'*homme* que nous avons dénombrés et les six catégories de « faits » qui les justifient et permettent, dès lors, de traiter « concrètement » de la lutte des classes mondiale, de la pollution des eaux, de la délinquance juvénile et du statut de l'artiste dans la société contemporaine.

Mais, à ce niveau de platitude, l'exercice philosophique ne remplit même plus son contrat. A force de jouer du sens commun comme pseudo-adversaire, il s'y soumet réellement. Il lui arrive une mésaventure bien normale : n'ayant point réussi à définir avec fermeté le lieu originaire (ou fondateur) où éclôt et d'où s'administre la vérité, ayant constamment hésité — apparemment, par exigence pédagogique, mais, en réalité, par nécessaire compromission idéologique — entre le psychophilosophique et le spéculatif, le psychologique et le sociologique, la déduction abstraite e la description, entre autres, il en est devenu incapable de reconnaître que, si fait il y a, il convien d'abord de l'*établir*. Dès lors, il recueille n'importe quoi n'importe comment. On s'en prend à regretter le type de rigueur institué par la pensée spéculative, vivante en son temps ; et qu'on ai oublié que Platon, par exemple, avait invalidé une fois pour toutes, « la preuve par le fai brut ». Comment peut-on *décemment* prétendre tirer ses sources, à la fois, du *Lachès*, du premier livre de l'*Ethique*, des travaux de Moreno et des « informations » colportées par la grande presse ?

La P.S.U. recueille n'importe quoi n'importe comment, venons-nous d'écrire. Cette formule n'est juste qu'à première vue. Il serait presque trop beau que puisse jouer ici quelque contingence que ce soit. La « fantaisie » pourrait s'y glisser. Ce qui s'impose, à regarder les divers manuels (et la réflexion du « cours » moyen dans les copies « moyennes » au baccalauréat), lorsque comme par souci du « concret », l'académisme se réfère au fait, c'est la massivité de l'opinion commune, la bêtise concertante. Il suffirait de suivre, par un montage photographique, les diverses illustrations (et, quand l'ascétisme philosophique ne permettait qu'on use de procédés aussi directs, la photocopie de quelques paragraphes), l'évolution des divers « traités » de philosophie pour voir comment *les* modes idéologiques — c'est-à-dire *le* mode idéologique — pèsent, directement, lorsqu'il s'agit des rubriques du programme ayant un rapport moins lointain avec les problèmes socio-politiques ou les questions théoriques, sur les « faits » invoqués. On vient de donner un exemple du traitement « raisonnable » qu'on réserve à l'antagonisme socialisme/capitalisme. Avant la Première Guerre mondiale, ce qui compte, en France, c'est plutôt la question des justes frontières (« ils » ne garderont pas l'Alsace et la Lorraine), celle de la laïcité (comprise comme étape supérieure du « spiritualisme militant ») et celle des colonies ; entre les deux guerres sont dominants les thèmes de la paix entre les nations, de l'affermissement de la « vraie » démocratie dans la collaboration sociale et « du devoir des nations colonisatrices » ; après la Deuxième Guerre mondiale, font irruption, sous des bannières empruntées frauduleusement à Marx, à Nietzsche, à Freud, à Sartre, les séduisantes problématiques « humanistes ». Et, à travers ces trois « étapes », des principes demeurent, fermes, qui sont présentés comme n'étant que l'expression directe des faits : la légitimité profonde, attestée, de l'institution : l'Etat (en général et pourquoi pas ? « socialiste », s'il était « démocratique » ?), la famille (recyclée, « psychothérapisée »), l'ordre culturel (constamment réadapté aux « exigences du monde moderne, qui subit une profonde transformation »), l'enseignement philosophique (« garant de la tradition et ouvert à toute nouveauté »)...

A ce niveau, l'opération de retour au concret, qui avait pu faire illusion, révèle sa signification : il s'agit tout simplement de faire passer, sous la caution de la philosophie et de sa tradition, les notions que véhiculent les moyens de communication dits de masse, manifestations plus ou moins subtiles des « valeurs » que sécrète le pouvoir. Quand elle doit en venir au « fait », la P.S.U. est à son plus bas niveau. Elle avoue, alors, ce qu'elle ne peut pas manquer d'être : un miroir fidèle de l'institution qui l'institue.

LIEU COMMUN N° 4 : L'HISTOIRE DE LA PHILOSOPHIE

Malgré l'assurance qu'elle affiche, la réflexion académique — qu'elle soit dogmatique ou « questionnante » — sait bien que l'empirisme de la conscience, de l'homme ou du fait ne suffit pas à lui donner une assiette suffisante. Quand bien même elle soupçonnerait que n'importe comment le jeu est déjà joué, elle doit — parce que cela est honnête — feindre de le jouer. En tout cas, il lui faut s'assurer elle-même : la légitimation après laquelle elle court, c'est à sa fondation même qu'elle l'emprunte — l'histoire de la philosophie. Dans l'analyse fournie du lieu commun n° 1, nous avons noté que, bien souvent, l'administration d'une rubrique du programme consiste à développer, devant l'élève ou l'étudiant commençant, une gigantomachie ridicule où s'affrontent les « maîtres de la pensée » en des combats singuliers et successifs : Aristote contre Platon, Epicure contre Zénon de Citium, Bernard contre Abélard, Leibniz contre Descartes, Kant contre

Hume... Quelquefois, on a l'audace d'aller jusqu'au « match à trois » ou « à quatre ».

Nous n'avons toutefois pas encore étudié le sens de cette référence au passé de la philosophie telle que l'utilise l'académisme contemporain. Il s'agit encore d'un lieu commun. Mais il est moins étalé : présent partout, il se cache. L'arbitraire qu'il impose est plus rusé. Lorsqu'il y a recours au « fait », la supercherie est, bien vite, apparente : la critique n'a guère de mal à déceler — la brièveté du schéma que nous avons consacré au lieu commun n° 3 en est comme une preuve — si l'on penche pour la « conservation progressiste » ou pour la « modernité ». Quand est appelé en témoignage ce que la philosophie désigne comme étant sa propre histoire, alors l'affaire devient plus subtile. Des chefs de file, des hérauts, des héros, des sous-ordres surgissent, sans que soit jamais évoquée la raison ou la cause qui confère à *cet* auteur *cette* importance et à *cet* autre *cette* autre. En tout cas, il est bien entendu que — même si l'on fait des réserves sur telle ou telle thèse — le penseur dans son entier doit être admiré et respecté, comme on admire et on respecte le membre fondateur d'une société de bienfaisance.

N'allons pas trop vite cependant. Cette soumission à une tradition fabriquée n'est pas seulement, de la part de la P.S.U., une habile façon de justifier, par bribes, son statut. Elle est aussi, cette fois encore, un reflet : ce qu'elle reproduit, cependant, ce n'est pas, dans sa globalité, l'état de l'opinion commune, c'est une situation propre à la philosophie française contemporaine. Administrant l'impossibilité actuelle de la philosophie de style traditionnel (ou renouvelé) à construire des systèmes ou des doctrines (du type de ceux qui jalonnèrent la *philosophia perennis*), constatant l'incapacité effective de la spéculation à « faire mieux » ou « autrement » que Hegel, elle a trois manières, entre autres, mais celles-ci sont les plus courantes, de fuir en avant : aller dans les « prolongements » de la philosophie et s'adonner aux « sciences humaines » (de jeunes philosophes de la décennie 1950/1960, déçus par la pauvreté spéculative, s'orientèrent vers la sociologie ou la psychologie, croyant y rencontrer une vocation, alors qu'ils n'y trouvèrent que des postes, ce qui, d'ailleurs, n'est pas une si mauvaise opération !) ; s'installer dans l' « essayisme » et déterminer ainsi des courants « idéologiques » ; faire de l'histoire de la philosophie.

Cette dernière voie, la plus courageuse si l'on compte les renoncements qu'elle implique, la plus prudente si l'on mesure les retraits qu'elle suppose, constitue, en vérité, l'essentiel des travaux philosophiques contemporains. Il y aurait un compte à faire des thèses pour le doctorat d'Etat soutenues à l'Institut de philosophie de la Sorbonne : les monographies historiques l'emporteraient très largement ; et quant aux travaux portant sur des « problèmes » ou des « notions », on aurait vite fait de constater que, pour la plupart, ce sont des façons d'en appeler encore à Platon, Plotin, Descartes ou Kant. Incapable d'assurer son présent — et il n'y a nulle raison de leur reprocher cette invalidité —, la philosophie qui est et qui se connaît comme sérieuse n'a d'autre ressource que de sacraliser son passé spéculatif, de l'approfondir, de le réorganiser et d'espérer que, de ces lectures nouvelles (et toujours renouvelables), se dégageront des concepts originaux. Le passé philosophique est devenu un objet au même titre, apparemment, qu'étaient objets de la réflexion de Descartes ou de Kant la physique de Galilée ou celle de Newton. Se développe ainsi une discipline synthétique qui emprunte ses principes à la fois à la philosophie de la réflexion et aux méthodes historiennes les plus affinées. Les résultats sont souvent du plus grand intérêt et ce serait légèreté que de dénoncer uniment cette « fuite en avant ». Il y aurait seulement à définir, à son propos, la fonction idéologique d'un genre historique qui ne parvient plus à produire, théoriquement, que les étapes empiriques de sa propre production.

La P.S.U., on s'en doute, n'a pas des préoccupations aussi critiques. Elle ne cesse de rappeler que l'*Aristoteles dixit* ne joue plus, que les « grands auteurs » ne sont jamais que des sources d'information ou des incitations à la méditation fructueuse et qu'à la limite un cours de philosophie pourrait être construit sans référence à quelque philosophe que ce soit. Et, cependant, le programme, pour les « terminales A », comporte la lecture obligatoire de textes, dûment répertoriés ; celui des facultés — fait-on si peu confiance aux leçons des enseignants contemporains ? — consiste le plus souvent en une liste d'auteurs à étudier (et quand il s'agit d'une nomenclature de questions, c'est encore à des auteurs que celle-ci renvoie). A l'idée d'autorité intellectuelle — qu'il est bien difficile d'exhiber comme principe dans la patrie de Descartes et de Voltaire — se substitue un respect diffus, qui englobe, indifféremment, tous les écrits philosophiques (hormis peut-être ceux qui ont « exagéré », comme, par exemple, Berkeley, du côté de l'idéalisme, Lucrèce, Helvétius et Marx, du côté du matérialisme, Hume et John Stuart Mill du côté de l'empirisme, Hegel et Hamelin du côté du rationalisme, Plotin du côté du mysticisme, Auguste Comte du côté du positivisme). Dans la pratique pédagogique, rien n'est vraiment changé. Le pouvoir absolu d'un auteur est simplement remplacé par un ordre arbitraire qui détermine un lieu où se trouvent logés les auteurs sérieux les bonnes citations, les jugements fondés.

Le ballet commence qui, du baccalauréat à l'agrégation et aux discours de réception à l'Institut, va voir évoluer, selon des règles bien connues des spécialistes, des protagonistes dont la fonction est fixée par un aimable rituel. L'originalité — il en faut —, c'est alors d'introduire, avec vingt ans de retard et quand personne, « vraiment », ne s'y attend, un nouveau personnage ; ou d'affubler d'un collant couleur chair, Spinoza, qui, depuis des années, piétinait en tutu.

On pourrait croire ici à un excès dans le sarcasme. Que le lecteur accepte de parcourir, non pas seulement les manuels courants ou les diverses « introductions » à la philosophie, mais encore ces discours académiques que nous signalions à l'instant et les moutures prétendument théoriques qui en sortent : le passé de la philosophie s'y donne comme jeu de marionnettes, chaque auteur surgissant, quand il convient, pour prendre la place de l'autre et apporter sa pierre à l'édifice de la culture puérile et honnête.

Le traitement que la P.S.U. inflige à la philosophie passée est l'expression hâtive et dérisoire du travail de l'histoire de la philosophie contemporaine « en tant qu'elle est sérieuse ». Il en est — selon la formule hégélienne — la *aufhebung* (la position/négation/sublimation), non point dans le *dépassement*, comme l'entendait le philosophe de Berlin, mais dans celui de l'*amoindrissement*. L'histoire de la philosophie, si l'on considère son parcours des cinquante dernières années, se développe dans la plus complète contingence : sans doute y a-t-il des « modes » intellectuelles ou nationales introduisant, durant des périodes restreintes, une relative homogénéité ; mais chaque historien choisit « son » auteur ou « sa » période, en fonction de ses goûts, de ses choix théoriques ou des hasards de la carrière universitaire. Or, la transposition de cette situation (qui peut être considérée comme correspondant à la « liberté académique » normale) engendre, au bas niveau de l'enseignement philosophique élémentaire, un état de fait insupportable.

On a déjà remarqué, à propos du lieu commun nº 1, que s'établit bien vite une sorte d'automatisme : tel problème renvoie à tels auteurs, tel auteur (ou telle polémique entre auteurs) conduit à tel problème. Dès lors, le philosophe auquel on a recours devient une sorte d'argument : il sort de la boîte rhétorique pour administrer sa preuve. Il acquiert, du même coup, une fonction purement abstraite, déterminée par sa place dans le chapitre (ou dans la dissertation). Il prend ainsi un statut omnitemporel : l'histoire de la philosophie se tourne en son contraire. Le philosophe est tiré brutalement de son contexte historique, donc de son statut théorique, de sa fonction idéologique, de sa « vocation » même (puisque c'est là une notion à laquelle la P.S.U. fait volontiers appel). Descartes, Spinoza, Leibniz, James ne sont plus là que pour répondre au délicat problème du « critère de la vérité », par exemple : ils n'existent plus les uns et les autres que comme configurations typographiques en caractères gras ou majuscules. Ils attestent, sans pouvoir jouer vraiment leur partie. Ils sont enlevés ; et sans demande de rançon, sinon celle de la gloire académique...

Mais cela n'est qu'une première étape de l'opération naïvement mystificatrice. Ces noms auxquels on se réfère sont, en réalité, chargés d'une puissance affective ; on les fait surgir, en général, dans un ordre chronologique. Se construit ainsi à l'intérieur de chaque rubrique du programme une micro-histoire de la philosophie, qui recourt à vingt ou trente auteurs, de Parménide à Jean-Paul Sartre, pour dissiper (ou renforcer) les énigmes que présente la problématique philosophique. On le notait dès le début de l'analyse de ce lieu commun : l'élève se trouve placé devant une gigantomachie émiettée où survient tantôt celui-ci, tantôt celui-là des vaillants combattants de la culture philosophique. De Descartes, il sait qu'il « intervient » quand il s'agit de la conscience, de la liberté, de la volonté, de l'imagination, de la méthode, du rôle de la science, de l'espace et de Dieu ; de Bergson... Mais il n'est pas utile de poursuivre une nomenclature aussi misérable.

Il vaut mieux souligner le fait que la P.S.U., comme l'a déposée l'institution, ne peut guère pratiquer autrement. D'une part, elle est prise au piège de la « neutralité » qu'elle revendique : elle parle de l'humain, à partir de l'humain, pour l'humain ; les questions qu'elle pose sont « éternelles » ; il ne faut pas qu'elle soit tributaire d'une quelconque historicité, sous peine bientôt de n'être plus qu'un département particulier d'une discipline générale, la science historique, par exemple (ce qui ne serait pas si mal !), ou de la « sociologie de la connaissance » (le bruit court encore, çà et là, que cette appellation correspond à des recherches effectives). Dès lors, les rubriques « historiques » doivent être « déhistorisées », pour qu'à des problèmes « essentiels » correspondent des positions tout aussi « essentielles » ; ou encore — dans la version actuelle — pour que, face à des questions touchant, de façon décisive, à la condition de l'humanité, soient appelées en témoignage des « subjectivités » libres et « réfléchissantes », ayant été capables de se dégager de leurs conditions empiriques. Comme en un « dialogue des morts », Platon dialogue avec J.-P. Sartre et Bergson avec Zénon l'Eléate.

Mais, d'autre part, l'académisme philosophique est dans la pauvreté. Pour se faire valoir, il lui faut prouver qu'en lui aussi se manifestent des progrès et qu'à sa manière il révèle — moins directement, plus spirituellement — les conquêtes successives de l'humanité, dont le progrès scientifique et technique est l'expression grossière. Du coup, les figurines abstraites se redistribuent dans la continuité du temps, chacune apportant son originalité, telle que, celle-ci ajoutée à celle qui la précède, s'édifie le devenir même de la pensée dans sa mise à jour la plus claire et la plus réfléchie. Quel que soit le problème posé, l'enseignant peut conclure son cours, l'étudiant « boucler » sa dissertation et l'académicien son discours.

De la sorte s'organise un compromis entre l'anhistorique et l'historique qui, dans tous les cas, isole une pensée philosophique développant abstraitement ses étapes et ses « problèmes ». Il redouble, dans la platitude, le faux débat qui a occupé longuement l'académisme universitaire — l'histoire de la philosophie chronologique (style « Bréhier ») ou l'histoire de la philosophie par problèmes (style « Janet et Séailles »). Il exprime, dans la niaiserie, l'embarras de la philosophie contemporaine qui se penche sur son passé et qui hésite entre une légitimation logique et une justification historique, sans voir clairement que l'une et l'autre renvoient à l'inconsistante catégorie de « progrès ».

Sans doute est-ce trop raffiner que de définir cet arrière-fond philosophique de la P.S.U. En fait, celle-ci fait moins d'embarras : comprenant confusément que la question de la « neutralité » théorique est difficile et contestée, elle revendique une autre « objectivité », plus banale et plus rassurante, et qu'elle met au compte de la pédagogie. Sa tâche n'est-elle pas d'informer, d'apporter des documents, des « citations » ? Nous voici à un autre niveau du lieu commun n° 4. L'auteur qui sert de référence et qui, indirectement, vaut pour preuve apparaît sous deux formes : d'une part, on recourt à lui en résumant tout ou partie de sa doctrine — quinze lignes sur Descartes et le *Cogito,* douze sur la monade leibnizienne, trente-cinq sur la morale selon Kant —, étant bien entendu qu'on reviendra sur chacun de ces grands penseurs quand l'occasion d'une autre rubrique du programme se présentera d'offrir un nouveau « comprimé » de culture à des intelligences fraîches que l'on suppose avides de synthèses bien contrôlées. Mais il y a, d'autre part, une seconde façon de faire intervenir l'écrivain — vulgarisée par les manuels, dictionnaires, encyclopédies et registres dont les deux derniers siècles sont friands : le *citer.* Dans la technique de la citation, se simplifie la question rhétorique soulevée au paragraphe précédent.

Cette fois, dans la phrase courte et péremptoire, posée comme originale ou, au contraire, magnifiée par la tradition, le conflit de l'historique et de l'anhistorique est réglé : brusquement apparaît une sentence — dont on dit, bien sûr, qu'elle est de Descartes ou de Marx, qu'elle est advenue entre 1596 et 1650 ou 1818 et 1883 —, mais qu'on sacralise, comme si de rien n'était, par des procédés typographiques ou pédagogiques, en tant que leçon de la « pensée éternelle ». L'opération réductrice se poursuit, de la dissertation de baccalauréat aux thèses de doctorat (et des cours qui résultent immanquablement des unes et des autres). On ne s'attache même plus à restaurer le mouvement de la pensée ; on le suggère comme évidence ; on mobilise, autour de cette pratique à prétention enseignante — n'y a-t-il pas un manuel, récemment paru, qui « synthétise » toute la philosophie en « mille citations » ? — la force dite psychosociologique du slogan. Du coup, les « moralistes », les fabricants d'aphorismes, les théoriciens soucieux de leur style s'imposent comme sélecteurs de vérité. Non seulement on extrait le penseur de son contexte historique, mais encore on abolit le cadre logique ; non seulement on omet de préciser le rapport que Descartes, physicien-métaphysicien, entretenait avec les travaux de Galilée (ou les relations que Kant avait avec la politique de l'Age des lumières), mais on met entre parenthèses l'ordre interne des doctrines (*la Deuxième Méditation métaphysique* après la *Première, la Critique de la raison pratique* comme partie et dépassement de *la Critique de la raison pure*). L'apparente préoccupation logique de la P.S.U. s'abolit dans la pratique de la citation.

Mais, pour préciser, revenons sur ceux que l'on pille parmi les « producteurs » de bonnes formules. Naguère, c'étaient les littérateurs, les apologistes et autres rédacteurs de « journal » : Montaigne, Pascal, Vauvenargues, Rivarol, Amiel et Gide. Aujourd'hui, on élargit le cadre ; on introduit, en même temps, d'autres types de malversation. Se réclamant de la technique nietzschéenne des aphorismes, on en appelle à n'importe quelle formule térébrante, d'où qu'elle vienne et quoi qu'elle dise, la coquetterie à allure surréaliste étant le luxe de la modernité académique ; ou pire, on emprunte, çà et là, aux expressions journalistiques, pour montrer qu'on n'ignore rien de la puissance des moyens de communication de masse et que, Mac Luhan aidant, on est capable de les intégrer à la persuasion de la P.S.U.

Reste ceci : des phrases, extraites ici et là, deviennent l'expression du savoir, de ce savoir qui, par ailleurs, revendique comme étant son lot l'universalité et l'intégrale légitimation. Dans la pratique de la citation, imposée par la nature même du genre que l'institution et la tradition imposent, se manifeste une escroquerie analogue à celles que révélaient les analyses précédentes. Citer, indifféremment et dans la même optique, Platon, Descartes, Robespierre, Marx ou Nietzsche — Amiel, Bergson ou Simone Weil, aussi bien —, c'est imposer au lecteur, à l'entendeur (qui n'a pas même le loisir d'être bon et d'être salué), la banalité rassurante où tout s'égalise, où tout s'échange, dans la contingence. Le dictionnaire des « belles citations » des « grands auteurs » — les pages roses de l'académisme philosophique — installe celui-ci à son vrai niveau : celui de l'*éclectisme*.

Le sérieux pédagogique qui continue de sévir,

malgré « tout », dans l'institution accepte mal cette simplification excessive. Il juge scandaleux que l'histoire de la philosophie soit parodiée comme jeu de marionnettes et qu'Aristote soit, successivement, le Pandore de l'Arlequin Platon et l'Arlequin du Pandore Zénon ; il réprouve avec plus de véhémence encore le trafic des citations. A ces techniques abêtissantes, il oppose ce qu'il croit être un remède : l'*explication de textes.* Les textes et leur lecture attentive, voici le nouveau cheval qui doit sauver le royaume théorique. Dans cette perspective, le programme n'est plus qu'indicatif : ce qu'il signale discrètement et pour ceux qui savent saisir des signes, ce sont des pages habilement sélectionnées ou, même, des œuvres complètes pourvu qu'elles ne soient pas trop longues.

Apparemment, un autre style s'instaure : il s'agit de traiter des questions du programme, mais de laisser parler dix-huit paragraphes de Descartes, vingt-cinq de Kant ou, même, la *Monadologie* ou les *Fondements de la métaphysique des mœurs dans leur entier.* Le matériau, ce ne sont plus les doctrines, enkystées dans la question de cours ou hachées menu en citations, mais le document originaire. On prendrait ainsi les choses « à rebrousse-poil » : l'ordre et l'importance des questions surgiraient du discours des philosophes eux-mêmes, la lecture libre de l'étudiant — liberté guidée par l'enseignant soucieux d'efficacité pédagogique — serait le lieu d'où sortiraient normalement les interrogations .philosophiques authentiques.

L'illusion de la neutralité est ici à son comble ! Certes, il vaut mieux connaître Descartes par le *Discours de la méthode* ou Marx par le *Manifeste du parti communiste* que par des résumés ou des citations prenant place dans les chapitres consacrés à la « méthode scientifique » ou au « problème social » ; et il est bien vrai que l'élève aura plus de mal à éluder les problèmes que posent directement les textes que s'il lit le « tout-fait » question/réponse présenté par les manuels. Subsiste cependant l'hypothèque fondamentale : le livre philosophique, comme tel, en tant qu'il est philosophique et qu'il s'impose comme élément décisif de la « classe terminale » (ou des premières années d'enseignement supérieur), est inscrit *comme fait* révélateur en soi-même de l'horizon et du statut de la vérité. La référence aux textes signifie seulement ceci : contraint par des sciences dites humaines qui tendent à imposer, de façon disparate, l'empirisme de leurs « informations », obligé par une histoire de la philosophie qui produit souvent des œuvres remarquables mais qui ne sait plus pour qui, pour quoi, pourquoi elle les produit, tributaire d'une institution à laquelle il croit devoir souscrire en tant qu'il y participe, l'enseignant-philosophe, soucieux de la théorie, fuit en avant, vers les textes fondateurs et justificatifs. Ce n'est plus lui qui parle, c'est Platon, Descartes, Marx ou Freud qui s'adressent à l'apprenti : convaincu de sa médiocrité, le professeur n'est plus qu'un médiateur, celui qui prépare les grandes illuminations, les rencontres capitales...

Mais ce nouveau démiurge, quel rendez-vous organise-t-il ? D'un côté, l'élève, conditionné par des années d'enseignement secondaire, rendu à la fois avide et débile, soucieux de « profit culturel », mais aussi de formation professionnelle, prêt finalement, dans la société de compétition, à faire flèche de tout bois ; ou, encore, fasciné par une « vocation » qui risque de le livrer sans défense soit à la tradition soit aux fantaisies des modes philosophiques. De l'autre, la *philosophie éternelle* en tant qu'elle se manifeste en des textes consacrés, anciens, modernes, récents, contemporains, qu'importe ! D'entrée de jeu, on sait bien que ce ne peut être une bonne rencontre, que l'affaire est faussée à l'avance, qu'aucune relation effective ne peut s'établir. Certes, répétons-le, mieux vaut une page de Descartes que trente d'un manuel. Mais, aujourd'hui, celle-là et celles-ci ne peuvent être appelés à administrer qu'une seule idée : la pérennité de l'ordre spéculatif qu'on pose arbitrairement comme naïve, désignée comme étant, par soi-même, porteuse de vérité. Bref, cette technique pédagogique supérieure qui substitue au « cours » la rencontre directe avec les auteurs ne fait qu'organiser plus intelligemment la rhétorique de la P.S.U. Mais elle participe tout autant aux présupposés de l'académisme. La neutralité est autrement vêtue : elle reste de même nature. Aux manuels démagogiques, qui photographient Brigitte Bardot et la terrasse du Flore, il n'y a pas à opposer, maintenant, un ordre « supérieur » se prévalant du vrai Descartes, du vrai Kant ou du vrai Marx. L'institution a déjà tout confondu...

La pratique universitaire de l'histoire de la philosophie peut être rangée sous une rubrique traditionnelle : elle a nom *éclectisme*. Les références des manuels classiques — qu'ils suivent patiemment le programme ou qu'ils se « déplacent », supérieurement, vers la présentation de textes — sont *éclectiques*, au sens très banal qui a été déposé dans l'histoire de la pensée spéculative. L'idée directrice et programmatique du « système » éclectique est qu'il y a un lieu de la vérité, que les diverses doctrines philosophiques y ont participé, peu ou beaucoup, chacune à sa manière, et qu'il y a à opérer à propos de chacun d'entre elles un tri, modeste et efficace, séparant le bon grain de l'ivraie. Ces multiples vérités ainsi sélectionnées, s'organise la doctrine qui les met en ordre et qui définit ce qu'il est bon de penser et, par conséquent, de faire. Quant aux principes qui permettent la sélection, ils ressortissent à ce sens commun, à cette réflexion modérée, riche d'informations culturelles, de faits « dûment contrôlés » et de sens moral. Victor Cousin — après sa période d'exaltation hégélienne — est comme la réplique moderne d'Isocrate. Contre les abstractions des métaphysiciens, contre les excès des politiques, mais en tenant compte des tendances irrépressibles que les unes et les autres révèlent, il construit un discours dont la fonction avouée est de réconcilier, autour d'un minimum commun, les diverses forces sociales acceptables : la fin est de former de bons fonctionnaires, de bons pères de famille, de bons citoyens, capables d'apprécier les manifestations artistiques et de promouvoir les améliorations sociales raisonnables. En toute connaissance de cause, produite par un roué, la philosophie s'installe comme idéologie.

L'opération a été menée à visage découvert en France, à partir de 1830 : elle conduira aux doctrines spiritualistes qui vont fleurir à la fin du siècle dernier et s'épandre jusqu'à nous. L'éclectisme académique contemporain est à la fois moins solide et moins franc. Il est moins solide dans la mesure où il n'a plus la force d'affirmer tranquillement qu'il milite pour la défense des saines valeurs — le Vrai, le Beau, le Bien — et de l'ordre qui les a produites. Du coup, il doit devenir moins franc : c'est alors qu'il constitue son recueil de résumés doctrinaux, de citations ou de textes. L'histoire de la philosophie ainsi comprise n'est plus qu'une couverture : la philosophie n'osant plus avouer son caractère foncièrement idéologique prend pour matériau de son exposition un passé, dont elle se fera un devoir de critiquer certains aspects, mais qu'elle aura défini d'abord comme essentiellement vénérable. Et la preuve qu'elle va donner de sa largeur de vue, c'est le fait qu'au fur et à mesure des « découvertes » de doctrines nouvelles — Hegel vers 1947, Marx un peu plus tard, Nietzsche, Rousseau, l'un et l'autre sortis de la patte de velours des littérateurs, Freud, enfin compris comme théoricien —, de l'apparition de courants nouveaux, elle sait allégrement les intégrer à sa nomenclature : on rognera sur Lucrèce ou sur Malebranche, afin de faire leur place à Jean-Paul Sartre et à Claude Lévi-Strauss.

L'important est que — comme dans une bonne dissertation — un équilibre soit maintenu qui, comme on dit, laisse à choisir et donne à penser. Que peut donc « choisir » ou « penser » l'étudiant jeté dans ce devenir des textes philosophiques ? L'alternative est simple : ou bien on le laisse complètement libre et il se trouvera successivement pris au piège de toutes les doctrines, c'est-à-dire de l'idéologie spéculative dans son ensemble ; ou bien on le préparera à ces lectures, mais selon quels principes ? Ceux-là mêmes qui s'expriment dans les « lieux communs » précédemment analysés.

Qu'elle fasse référence à l'homme, qu'elle se regarde dans les faits ou qu'elle fuie vers son passé, la P.S.U. précise son statut : le replâtrage intellectuel.

LIEU COMMUN N° 5 : LES SCIENCES DE LA NATURE

En ce siècle que l'opinion commune désigne comme scientifique et technique, il n'est pas possible à l'académisme universitaire de ne pas consacrer à l'activité scientifique une part importante de sa réflexion. Il faut remarquer, d'ailleurs, que les programmes de 1880 et de 1925 donnaient déjà à la « logique » une belle place. L'affaire remonte, en France, au milieu du XIXe siècle ; et ce qui se passe aujourd'hui, en ce domaine, n'est qu'une suite, plus ou moins orthodoxe, selon les doctrines professées, de ce qui a été institué alors. Victor Cousin, éduqué par Kant et par Hegel, sait bien que la philosophie moderne, en raison même de son origine cartésienne, ne peut pas éluder le problème de sa relation avec les mathématiques et la physique ; il sait aussi que les progrès scientifiques et techniques, inéluctables, constituent l'arme de cette société nouvelle, bourgeoise et industrielle, dont il s'est décidé à être le protecteur et le porte-parole. Moins provocateur, plus raisonnable que son contemporain Auguste Comte, investi de pouvoirs qui lui laissent de bonnes marges de manœuvre, il entreprend de valider, en le récupérant dans l'optique d'une saine conception de l'esprit, le travail proliférant et anarchique des savants.

Il y réussit, au moins si l'on en juge par les habitudes qui restent, maintenant, les nôtres. Lorsque la P.S.U. fait apparaître les « sciences de la nature » au sein de ce qu'on n'ose plus appeler sa problématique d'ensemble, c'est, en réalité, pour les faire *comparaître ;* pour les soumettre, d'entrée de jeu, au tribunal, à l'arbitrage du pur savoir, du jugement philosophique dépositaire de la vérité. Et même si l'on en tire des leçons, c'est aussi — et précisément parce qu'on en tire des leçons — pour les remettre à leur place, honorable, mais inférieure. Il y a des *connaissances ;* la « commune », l'esthétique, la technicienne, la scientifique, la mystique... La psychophilosophie établit que toutes ressortissent à l'appréciation objective, universelle, du sujet humain désintéressé = conscience = savoir ; que, dans la profondeur du *Moi-Je,* s'établit la juste évaluation des disciplines de l'extériorité. Or, parmi celles-ci, la science de la nature — et son « langage » : les mathématiques — ont la meilleure place selon la P.S.U. Avec une fadeur qu'évitaient les « dogmatismes » platonicien et cartésien, tant l'un et l'autre demeuraient encore sensibles aux réalités scientifiques qu'elles circonvenaient, se trouvent réitérées, platement, les démarches du livre VII de *la République* ou du *Discours de la méthode.*

Bref, la P.S.U. se donne la mission incongrue, dans cette civilisation qu'elle a définie elle-même comme industrielle, de *justifier* la science, d'informer, en ce qui la concerne, les « jeunes intelligences » (comme si celles-ci n'avaient d'autres renseignements que les « connaissances » administrées par les cours de physique-chimie ou de sciences naturelles), d'en analyser les méthodes, d'en fixer « la valeur ». Comme on le verra, se constitue de la sorte un éclectisme d'un autre ordre, qui est négation de toute épistémologie rigoureuse, qui met bout à bout l'empirisme le plus niais (« en science, les faits sont seuls juges »), le positivisme le plus résolu (« pourquoi ? jamais ; comment ? toujours ») et le spiritualisme le plus traditionnel (« Science sans conscience n'est que ruine de l'âme »). Un rapport ancien se trouve repris, mais inversé. Il fut un temps — celui d'Abélard, d'Albert le Grand — où l'exercice de la philosophie signifiait : droit et pouvoir de l'originalité, de la différence, et où cet exercice eut à se battre contre l'idéologie instituée et contre sa formalisation théorique : la théologie. Tout se passe comme si la science réelle, celle qui travaille, et la recherche théorique, dans son statut effectif, social et pratique, se trouvaient maintenant dans une situation analogue à celle de la philosophie d'alors. Elle doit rendre des comptes ; pire, rendre compte. La science fait ce qu'elle fait : mais qu'elle n'en fasse point trop et qu'elle sache à quoi elle doit se limiter.

La comparaison s'arrête là. Un Aristote arabisé a permis à Thomas de construire le système où pouvaient se concilier commodément et pour quelque temps le fait critique et la réalité religieuse. Reste ceci, qui fait parler cette analogie superficielle, que l'académisme universitaire aujourd'hui entretient inlassablement cette idée, depuis Cousin et Comte, que les activités scientifiques sont orphelines, prêtes à toutes les compromissions utilitaristes, lorsqu'elles ne sont pas contrôlées par le pur savoir philosophique, serait-ce, en ce qui concerne Comte, le pouvoir d'une philosophie indéfiniment menacée de suppression par cachexie.

Laissons l'histoire des idées, qui n'est pas l'objet de cet essai. Voyons plutôt comment la P.S.U. élabore, dans la ruse des références et des exemples, dans la simplicité d'une présentation qu'elle met, « en toute honnêteté », au compte des exigences pédagogiques, son image des sciences de la nature.

Après avoir situé la connaissance scientifique par rapport à la connaissance vulgaire, d'une part, et à la connaissance philosophique, de l'autre, après avoir analysé les principaux « procédés de la pensée » et avant de s'interroger sur la « valeur de la science », l'épistémologie P.S.U. consacre la partie médiane de son enquête aux diverses sciences. Or, l'ordre même que propose le programme est déjà significatif d'une conception que nous retrouverons à l'œuvre dans les autres chapitres « logiques » de l'académisme universitaire. On commence par les mathématiques, on poursuit avec la physique, puis avec la chimie, et on accède enfin à la biologie, en laissant entendre à la fin qu'une autre rubrique surviendra où on retrouvera celui qu'on a dû provisoirement délaisser : l'homme.

N'est-ce point là hiérarchie excellente ? Ne correspond-elle pas à celle qu'avait adoptée Auguste Comte, soucieux de combiner la suite chronologique des moments d'émergence de chaque discipline et un ordre logique — celui de la complexité croissante de l'objet et des méthodes ? N'est-il pas juste de commencer par la science la plus abstraite, qui a eu en même temps le privilège de devenir le langage de toutes les sciences de la nature et un bon auxiliaire des sciences humaines, pour en arriver, par paliers, à cette activité difficile et qui engage tant de problèmes « métaphysiques » qu'est l'étude de la vie ?

L'emprunt fait à l'épistémologie positiviste a cependant un autre sens, que révèle le contenu même de chacun des chapitres portant sur ces disciplines ainsi ordonnées. Pour juste qu'elle soit, la révérence initiale à la mathématique a pour fin le plus souvent, non de mettre en clarté un des modèles que la recherche rationnelle s'est donnés au cours de son combat, mais d'affirmer d'entrée de jeu les droits et les pouvoirs de l'esprit. Si l'on commence par la mathématique, c'est qu'elle est comme une sœur cadette de la philosophie. Utilisant le caractère « conventionnel », formel, axiomatique de l'activité mathématique, elle en prend prétexte pour développer des interprétations renvoyant soit à une sorte de platonisme affadi, soit à une théorie du choix « arbitraire » du mathématicien ; et, dans les deux cas, apparaît la nécessité de fonder ou de « coiffer » la mathématique par la philosophie, une philosophie comprise en termes tantôt de subjectivisme transcendantal. Du coup, dès la première étape de cette étude systématique des sciences particulières, est indirectement affirmée la toute-puissance de l'instance spéculative.

Celle-ci se développe autrement dès qu'il s'agit des sciences « proprement dites », c'est-à-dire des disciplines d'observation et d'expérimentation. Tout se passe comme si, après avoir magnifié la splendeur hélas ! un peu trop formelle du discours mathématique, il fallait redescendre dans la caverne et accepter la confrontation avec les faits. Commence alors la présentation successive des divers moments de la recherche expérimentale. Laissons pour l'instant les modalités de cette présentation. Remarquons simplement que, sous l'apparence d'une positivité chronologique et logique, se trouvent réitérées les thèses que Boutroux et Lachelier développaient à la fin du XIXe siècle pour contrecarrer idéologiquement les conséquences réelles de l'entreprise comtienne.

Derrière la hiérarchie physique/chimie/biologie — posée comme évidence épistémologique — se dessine bientôt cette idée que plus la science affronte un domaine complexe, plus elle est démunie, moins elle peut souscrire aux principes rigoureusement rationalistes qu'elle a conquis au XVIIe et au XVIIIe siècle ; plus elle doit reconnaître son impuissance à légiférer « en connaissance de cause ». La mécanique est certes un lieu où domine une nécessité quasi mathématique ; mais que dire de la biologie, où il faut bien reconnaître des processus impliquant la contingence, voire la finalité ? Le système spéculatif se remet en route : comme naguère l'établissait abstraitement Boutroux, l'analyse scientifique montre que, dès le moment où on est vraiment « dans la caverne », la part de la science est minime, qu'elle doit reconnaître, dans le domaine même qu'elle a à explorer, son insuffisance constante et réitérée : les faits, scientifiquement reconnus, prouvent la carence de la science, dans son fonctionnement même...

Cette prétendue logique a pour fond une ontologie à peine implicite dont on connaît bien la signification morale. Ce que révélerait la science — à laquelle on accorde une confiance relative dans la mesure où on l'interprète dans l'optique pseudo-kantienne d'une *connaissance* (vraie) qui ne saurait accéder au *savoir* (absolu) —, c'est qu'il y a des niveaux de l'Etre : l'Etre serait cette synthèse hiérarchisée permettant de monter, « peu à peu et comme par degrés », de la matière brute soumise à des lois simples jusqu'à des organisations complexes qui, pour être matérielles, n'en laissent pas moins apparaître, sous les aspects de la contingence (ou de la finalité), quelque chose que préfigure la liberté. Le plus scandaleux, en cette affaire, est que, sous la bannière de Boutroux, soient engagés non seulement un pseudo-Darwin, le Engels de *la Dialectique de la nature*, mais encore les entreprises scientifiques contemporaines les plus audacieuses.

Dans cette perspective, il y aurait à analyser ce que l'académisme a fait de la théorie scientifique de la relativité. A lire les pages que la vulgarisation contemporaine développe à ce propos, on se prend à trouver que Bergson, aveugle et sourd à ce problème, avait au moins le mérite de la cohérence interne. La P.S.U., elle, y va de l'espace-temps, du quadridimensionnel, de la « relativité » (empirique) de l'observateur, des petits trains qui circulent sur des rails de campagne alors que la vache croit rester immobile ; et tout cela pour en arriver à cette idée que la mécanique classique — celle de Galilée et de Newton — est dépassée et que ce qui la dépasse, c'est une doctrine, mystérieuse dans ses modalités, qui accorde au sujet observant une place si privilégiée que l'élève réfléchi en vient à se demander si toute cette affaire n'est pas fantasmagorie.

L'exemple le plus frappant, cependant, est le traitement auquel a été soumise la fameuse question de l'indéterminisme. En 1925, Heisenberg établissait mathématiquement, en tenant compte des résultats acquis par la recherche microphysique la plus avancée, qu'il n'était plus possible de recevoir le déterminisme comme principe universellement opératoire, et qu'en particulier on ne pouvait plus, en ce domaine, apparier les équations concernant la quantité de mouvement d'un corpuscule et celles concernant sa vitesse. Commençait un débat méthodologique ayant pour les physiciens au travail une importance capitale. Des oppositions apparurent, des tentatives de dépassement se multiplièrent ; des « camps » se constituèrent, dont les affrontements ont contribué au développement des recherches physiciennes à cette époque. Or, comme il est de coutume, ces problèmes réels, la P.S.U. les intègre — avec le décalage habituel. Ce qui était conflit méthodologique précis se transforme d'abord en problématique générale de la théorie de la connaissance et bientôt en question métaphysique...

Alors qu'il s'agissait d'évaluer techniquement les possibilités de mesure et de prévision dans un champ expérimental déterminé, l'académisme philosophique, usant de ses procédés de simplification coutumiers, récupère cette polémique comme élément « nouveau » de ses interrogations traditionnelles. Son poids a été si fort que d'authentiques physiciens — comme Louis de Broglie — en vinrent à prendre parti dans ces débats métaphysiques et moraux. Et, en se situant toujours dans la lignée de Lachelier et de Boutroux, on se mit à se demander si la contingence, repérée par la microphysique au niveau des atomes, n'était pas finalement la preuve que la liberté est la vérité de l'Etre même et que, du coup, en ce qui concerne l'homme, on pouvait être tout à fait rassuré. De même que la doctrine physicienne de la relativité a été l'occasion de rêveries métaphysiques portant sur la relativité du savoir, sur la temporalité profonde et sur la fragile puissance du « roseau pensant », de même le problème de l'indéterminisme a permis à l'académisme d'évacuer la pratique scientifique et d'en revenir à ce qui est, décidément, son seul point d'appui : l'homme, projet-objet-sujet de toute son investigation.

Au vrai, c'est déjà, pour la P.S.U., un symptôme positif que d'évoquer les sciences du dernier siècle, quelque fâcheux traitement qu'elle leur applique. Dans la plupart des cas, lorsqu'elle a à présenter des disciplines particulières, elle se contente de références fort anciennes. De même que la mathématique, c'est Euclide, la physique, c'est Pascal gravissant la tour Saint-Jacques, la chimie, c'est Lavoisier, et la biologie, Claude Bernard aux prises avec l'urine des lapins. Certes, ces divers exemples pourraient permettre de déterminer sérieusement le statut de l'activité scientifique s'ils étaient convenablement interprétés. Mais, précisément, si on les choisit habituellement, c'est dans le dessein (probablement non délibéré et sous le prétexte « pédagogique », toujours invoqué, de la sainte simplicité) de réduire cette activité à des manifestations empiriques et d'éviter ainsi de parler de ce qui est fondamental aujourd'hui en cette affaire : *les systèmes rationnels, implicites ou explicites, qui fixent l'articulation des recherches, l'appareillage technique à travers quoi celles-ci se réalisent, les institutions au sein desquelles elles se développent et les réalités sociales et politiques conflictuelles auxquelles elles correspondent.* Ces divers niveaux, il faudrait les analyser, car, comme tels, ils constituent le travail scientifique.

Galilée, avec son lustre (*sans* le tribunal du Saint-Office), Newton, avec sa pomme (*sans* la révolution théorique qu'il détermine), permettent d'esquiver ces problèmes. Les sciences sont réduites à des images d'Epinal — passablement ennuyeuses, d'ailleurs — qui, de toute évidence, ne peuvent prendre relief, dès lors, qu'enrichies par la signification fournie par une réflexion philosophique dont la P.S.U. a déjà défini le modèle.

Qu'il fasse appel à l'iconographie passée ou récente, l'académisme — qui cite respectueusement Gaston Bachelard et salue son œuvre novatrice, sans, en général, en tirer la moindre conséquence — est, en tout cas, sûr de son fait en un domaine : celui de la « logique générale ». Mimant, d'une façon burlesque, Descartes quand il empruntait aux géomètres et Kant lorsqu'il « réfléchissait » Newton, il tire de l'exercice des sciences des « solutions » aux problèmes généraux qui assaillent la pensée en mal de rationalité. Et voici que mathématiciens, biologistes, physiciens, chimistes sont requis en témoignage pour résoudre les difficiles dilemmes : intuition/raisonnement, analyse/synthèse, induction/déduction, pureté théorique/technique d'application. On voit bien de quelle manière l'opération s'effectue : la P.S.U. a le droit de redresser, mais non de déplaire ; encore moins de choquer. L'intuition, l'imagination ont leur place dans l'invention scientifique ; mais que seraient-elles sans le contrôle du raisonnement ? Sans analyse il n'y aurait pas de science véritable ; mais l'absence de synthèse est dommageable et conduit à un dangereux éparpillement. La recherche théorique est décisive, car il faut savoir se « désintéresser » (pourquoi ?), afin de retrouver la bonne efficacité...

Il y a des « procédés de la pensée » : la pensée procède ! Les sciences apportent à la philosophie un matériau qui permet à celle-ci de déterminer la ou les manières auxquelles la pensée doit souscrire si elle veut être raisonnable et utile. Les sciences constituent bien ce lieu inférieur, mais intéressant, significatif à partir duquel la philosophie — dépositaire, de par sa nature, de l'humaine condition, de la normalité et de l'objectivité — définira les règles du vrai et du faux, du bien et du mal logiques.

C'est sans doute à propos du problème « fameux » du fondement de l'induction que s'avoue, sans ruse, le comique de ce genre d'interrogations (et des solutions que celles-ci impliquent). Une fois de plus — une fois de plus quand il s'agit de la philosophie française académique actuelle — l'affaire remonte au dernier tiers du XIXe siècle, lorsque l'idéologie spiritualiste avait à mener sa bataille contre le matérialisme philosophique et contre le positivisme doctrinal qui menaçaient sa suprématie. Il lui fallait contester, d'une manière ou d'une autre, la toute-puissance à laquelle prétendaient la science et les doctrines qui s'en réclamaient. Elle se mit donc à s'interroger sur le principe « logique » qui est à la racine du raisonnement dans toutes les sciences expérimentales, celles qui, dit-on, « partent des faits pour arriver à des lois ». Ce principe est celui de l'induction. Or, les logiciens savent bien qu'aucun raisonnement n'est plus fragile que celui-là ! Quelle preuve y a-t-il, en effet, lorsqu'on considère un nombre indéfini de cas et qu'on en a examiné *n*, que le $n^{ieme} + 1$ acceptera de se ranger sous les mêmes déterminations ? D'une collection d'expériences, il ne saurait être question d'extraire des lois universelles et nécessaires, c'est-à-dire objectives. Et, du coup, toute la prétention à la vérité des sciences expérimentales révèle son inanité. Ainsi, non seulement la vérité mathématique est formelle et arbitraire, mais encore la physique est sans vérité. La conclusion s'impose : la vérité est d'ailleurs... dans la philosophie (et, disait-on, souvent alors, dans son prolongement naturel, la religion).

Face à cette réfutation « logique », on songe, avec la même surprise amusée, à une autre opération, analogue, mais inverse : celle de John Stuart Mill qui, lui, justifiait le raisonnement scientifique en élaborant les « canons » ! Dans l'un et l'autre cas, se manifeste la même suffisance de la philosophie devant le travail scientifique... On ne le juge pas de l'intérieur (dans son statut technique) ni même de l'extérieur (dans son institution et ses pratiques sociales), mais de *haut*. En cette affaire du « fondement de l'induction », il est grave qu'on méconnaisse la nature de l'entreprise scientifique, qu'on ignore systématiquement qu'aucune science, serait-elle prégaliléenne, n'est jamais allée « du fait au fait en passant par la loi », qu'il n'y a pas de « fait brut » (ou de « cas singulier »), que toute la naïveté » du regard scientifique est feinte et qu'elle n'a de valeur que polémique, que toute doctrine scientifique est à réinscrire dans un contexte idéologique et institutionnel, dans une conjoncture technicienne et sociale...

Il est tout aussi grave que, dans cette opération d'exclusion, l'académisme ait le front d'en appeler à la pensée spéculative lorsque celle-ci était encore vivante. Pour prouver que, de « tout temps », les sciences ont été « fragiles », la P.S.U. se réclame — éclectiquement — de Platon, de Pyrrhon, de Hume, de Kant, de Schopenhauer... Hume et Kant sont particulièrement sollicités : au premier, on attribue l'idée qu'il a *voulu* dénoncer les sciences (alors qu'il mettait en question toute prétention dogmatique) ; quant au second, on l'admire pour avoir su caractériser les sciences comme entreprises partielles et incertaines (alors que son ennemi, ce fut moins Newton ou Lavoisier que le *savoir* métaphysique). Des conceptions que ces penseurs eurent de la science et du fait qu'ils maintinrent celle-ci dans l'optique abstraite d'une spéculation commençant à s'essouffler, il y aurait à discuter. Reste l'escroquerie qui met, au service d'une réfutation, des phrases prises çà et là, ici ou ailleurs, sans que jamais on tienne compte des circonstances idéologiques au sein desquelles elles furent écrites.

Par la médiation de la P.S.U. et par le véhicule des programmes et des manuels, les sciences et leurs problèmes ne sont plus rien que des objets de dissertation et de leçon (au même titre que l'Etat, la famille, la vie économique — au même titre, aussi, que la personnalité, l'intuition et la liberté). Une fois que la perspective, que nous avons appelée ici psychophilosophique, a été imposée comme lieu tranquille de la communication pédagogique et comme préparation efficace aux tâches de commandement et d'obéissance spécifiées auxquelles sont soumis les individus normaux, ce qui suit est toujours un peu de l'ordre de la superfétation. Ce qu'il s'agit de former, au fond, ce sont des citoyens capables, si cela leur est intellectuellement possible, de devenir polytechniciens, économétristes ou administrateurs — de leur inculquer le respect des sciences, comme moyen au service des valeurs supérieures : l'homme, le progrès, l'épanouissement de leur personnalité, la nation, l'Europe ; sinon, s'il s'agit de ceux qui vont être professeurs ou agents immobiliers, qu'ils sachent au moins honorer les prix Nobel, suivre, avec intérêt, les articles ou les émissions scientifiques et se réjouir des exploits des géants de l'espace.

L'éducation « logique » élémentaire des classes terminales — mais il n'est pas sûr que l'enseignement supérieur ne se situe pas le plus souvent dans la même optique — vise à présenter l'activité scientifique comme manifestation importante aujourd'hui, mais relative du pouvoir des hommes. Les disciplines expérimentales administrent des preuves : qu'il faut tenir compte des faits ; les interpréter d'une manière rigoureusement logique et même, cela est mieux, mathématique ; savoir faire, quand il convient, des analyses et, quand il convient des synthèses ; laisser une place à l'intuition, mais ne pas hésiter à soumettre celle-ci au contrôle ; admettre, courageusement, l'échec et, courageusement, recommencer ; être, scrupuleusement, impartial. Figure souvent dans les manuels un chapitre burlesque sur l'*esprit scientifique :* il y est proclamé — citations à l'appui — que le vrai savant n'est d'aucun lieu, d'aucun temps ; qu'il est tenu de ne pas mentir, de ne pas maquiller les expériences, de ne rien dérober à d'autres chercheurs, de négliger toute considération de notoriété individuelle. La démonstration est telle qu'on a envie de s'affirmer hautement universitaire, tromper et empaumer ses contemporains !

Quand il s'agit de ce que les programmes désignent comme « morale pratique » — à savoir les problèmes sociaux, économiques et politiques —, l'escroquerie opérée par l'académisme est aisément repérable. Il est facile à un élève de « terminales » ou à un étudiant commençant — même moyennement informé — de voir quand et comment la P.S.U. intervient pour ramener le politique au moral : l'expérience lui révèle bien vite — serait-ce, par exemple, dans le lycée auquel il appartient ou en fonction des modalités de contrôle auxquelles il est soumis — que le problème de la répression institutionnelle ne saurait être réglé par la « bonne volonté » des parties en présence ou par une commune référence à l'exaltante précarité des « valeurs ».

L'affaire n'est pas aussi simple en ce qui concerne les sciences. Ce que l'apprenti philosophe en connaît, c'est, hormis les revues de vulgarisation qu'il aura pu lire, l'enseignement scientifique qu'il a subi : les cours dogmatiques de physique, de chimie, de sciences naturelles et les séances hâtives de travaux pratiques dans des « laboratoires » surchargés. Le travail scientifique réel lui est inconnu : dans la mesure où il a choisi de « faire » de la philosophie — discipline reconnue pour littéraire —, il a de la méfiance envers les sciences. Il est dans cette situation où on peut lui faire accroire n'importe quoi... Qu'il soit métaphysico-mystique, la P.S.U. l'entretiendra dans son fantasme, en lui montrant toutefois qu'il n'aurait pas raison s'il négligeait tout à fait le sens et l'efficacité des disciplines expérimentales ; qu'il soit épris de rigueur, elle établira pour lui que les sciences constituent ce banc d'essai de la rationalité que, seul, l'exercice philosophique conduit à son apogée ; qu'il soit poète, elle tentera de le séduire en insistant sur la part d'imagination que toute découverte scientifique implique !

Bref, dans tous les cas, les réalités scientifiques, les idéologies disparates qui les soutiennent, l'exigence théorique qu'elles requièrent, les travaux et les polémiques qu'elles suscitent, les institutions qui leur sont attachées, les conséquences sociales que leurs applications déterminent, seront mis entre parenthèses. Prenant pour *prétexte* la pureté et l'abstraction qu'implique, naturellement, l'impartialité spéculative, le *texte* de l'activité scientifique est, tout aussi naturellement, censuré. Pascal, Lavoisier, Claude Bernard, Leverrier, Einstein et Heisenberg — quand on consent à évoquer les deux derniers — ne sont plus que des alibis. L'académisme n'utilise leur référence que pour omettre — en bonne conscience — ce que les sciences sont devenues et ce qu'elles produisent, aujourd'hui, pratiquement, idéologiquement, théoriquement.

Cela s'appelle *mensonge*. Mais il est de fait que, quand on a élu la *vérité* comme valeur, il n'y a pas d'autre moyen, en ces circonstances, de fuir en avant.

Lorsqu'il parle de l'Etat, de la famille, de la vie économique, l'académisme universitaire procède à une opération d'intégration. Quand il évoque la science, il agit avec moins de précaution : il exclut l'objet même qu'il dit analyser et lui substitue un pseudo-objet, infiniment plus commode, où il serait question des « bons problèmes » : impartialité/partialité, objectivité/subjectivité, analyse/synthèse, intuition/discursion, induction/déduction, contingence/déterminisme...

Le pire est, tant est puissante l'idéologie dominante et l'opinion commune qu'elle suscite, que des savants ont pu croire et continuent de croire que ce sont là des questions qui commandent leurs recherches effectives.

LIEU COMMUN N° 6 :
LES SCIENCES DE L'HOMME

Légère à l'égard des sciences de la nature, la P.S.U. est lourde quand il s'agit des sciences humaines. Elle ne sait trop que faire de ces disciplines aujourd'hui conquérantes, la psychologie, la sociologie, l'ethnologie. Elle est partagée. D'une part, elle sent bien qu'elle ne peut pas les éliminer : l'opinion commune en parle trop pour qu'elle ose le faire ; et, surtout, bien qu'elle ne les connaisse que superficiellement, elle en sait assez pour comprendre que les psychologies, les sociopsychologies, les psychosociologies, les sociologies et leurs variétés multiples, aujourd'hui, correspondent, dans leur orientation générale, à sa psychophilosophie et apportent à celle-ci des matériaux précieux. Mais, d'autre part, elle voit clairement que cette alliance est dangereuse, qu'elle risque de la mener trop loin de ses bases ; à lui céder trop, elle signerait son constat de carence et ferait un aveu trop évident de son inutilité (pourquoi consulter un manuel ou un ouvrage de vulgarisation philosophique alors que la simple lecture des pages « sciences humaines » des hebdomadaires pour hommes, femmes, gens d'affaires et autres catégories bio-socioprofessionnelles apporte les mêmes informations ?). Dès lors, l'académisme s'organise et compose. Il constitue des structures d'accueil, qui changent selon les époques et le statut des polémiques « intellectuelles » : il reçoit le « matériau », mais s'efforce de le contrôler et de garder ses distances.

Il mène cette opération dans la confusion. Remarquons d'abord qu'à propos des sciences humaines, il commet la même bévue qu'à propos des sciences de la nature. Habitué par sa tradition à isoler des « essences » ou, plus bureaucratiquement, à dresser des programmes (ou des tables des matières), il conçoit les « sciences humaines » comme constituant une *unité réelle*, comme une *substance* ayant ses manifestations différentes, historiquement déployées et organiquement unies. Nous n'avons pas assez insisté dans les remarques faites à propos du lieu commun n° 5 sur le fait que la P.S.U. adopte, à l'égard des sciences de la nature, la même technique simplificatrice. L'idée directrice est simple : depuis Copernic, Galilée, Descartes, l'esprit a découvert qu'il y a *une* « nature » (idée intéressante et fructueuse, d'ailleurs !) ; il faut bien, du coup, puisqu'il y a *l'*esprit et *la* nature, qu'il y ait *la* science — dont *la* philosophie sera le fondement. Les diverses disciplines, leurs travaux, leur émergence historique *doivent* entrer dans cette unité. On omet les tensions « interdisciplinaires », les conflits épistémologiques effectifs qui surgissent : on laisse entendre qu'une fois réduite la coupure « aristotélicienne » du supralunaire et sublunaire, tout va s'arranger au mieux, entre la mécanique et la dynamique, la physique et la chimie, l'« inanimé » et l'animé. On construit ainsi un être à la fois ectoplasmique et protoplasmique, la *science de la nature*, toujours capable d'intégrer, quand il convient, les difficultés nouvelles... Quant à la production scientifique réelle qui est coincée entre les instances idéologiques auxquelles elle est soumise, la logique de son propre travail et les luttes sociales dans lesquelles elle est impliquée, elle est complètement omise...

La même simplification s'opère quand il s'agit des *sciences de l'homme*. Avec des conséquences qui mènent l'affaire jusqu'au non-sens ! Le XVIIe siècle a découvert la *nature ;* le XIXe siècle a inventé l'*homme*. Mais, de même qu'il convient de reconnaître des niveaux de complexité dans l'ordre naturel, qui comprend aussi bien la bille abstraite qui roule sur une pente abstraite que le neurone de n'importe quel corps humain, de même on doit admettre la diversité des manifestations de l'homme. Le respect de ce qui est « concret » y contraint. Il y a donc la psychologie, qui parle de l'homme tout seul, face à la nature (abstraite) ; il y a la sociologie, qui s'intéresse à l'homme en groupe, aux institutions ; il y a l'histoire, qui s'intéresserait plutôt aux événements qui ont ponctué le devenir de l'humanité ; il y a — mais c'est déjà aller au-delà de ce que la P.S.U. reconnaît comme appartenant à des normes — l'économie politique, qui, elle, privilégie l'homme dans son activité professionnelle ; il y a la géographie, qui, elle, le replace dans la nature (concrète, cette fois) ; il y a l'ethnologie-ethnographie, qui analyse un passé si lointain qu'il est comme une limite ; il y a l'anthropologie, proprement (ou autrement) dite ; il y a toutes ces recherches qui jettent, entre toutes ces institutions universitaires, les fameuses « passerelles », dernière mode de l' « interdisciplinarité » et de la pédagogie à prétention libérale...

On l'a déjà vu, en d'autres lieux : la P.S.U. se doit de tout accueillir ; il lui faut simplement trouver le terme grâce à quoi sa réception bienveillante pourra être unifiée. Or, la psychophysiologie, qui est son instance première, le lui fournit : c'est l'*homme*. Du coup, la référence aux sciences humaines, qu'on aurait pu croire, un bref instant, gênante (dans la mesure où elle oppose à la déduction spéculative la diversité et la dureté des « faits »), se trouve réduite : le programme est déjà constitué, qui procède à l'intégration progressive d'un pseudo-objet, appelé « sciences humaines », comme la « logique » (selon les dispositions de 1925), en se donnant pour thème *la science en général,* avait, d'un même mouvement, circonscrit et « digéré » les activités scientifiques réelles.

Mais sans doute est-ce là aller trop vite. Cette stabilisation des rapports entre la P.S.U. et les « sciences humaines » est relativement récente. D'autres relations ont précédé, qu'il faut évoquer puisqu'elles ont eu des effets de sédimentation qu'on peut encore repérer aisément aujourd'hui. Plus précisément, on constate que le traitement infligé par l'académisme à *certaines sciences* humaines — car il est clair que l'unification opérée est entièrement factice — ressortit à des pratiques naguère employées à propos de *toutes* ces sciences. Il est donc indispensable de retracer brièvement les étapes de cette histoire proche et ambiguë...

La première étape fut celle de l'*exclusion.* La psychophilosophie et ses conséquences morales et métaphysiques rejetaient, comme inessentiels, les résultats acquis par la psychologie, la sociologie et l'histoire. La manifestation la plus comique de cette attitude, c'est sans doute le chapitre que certains manuels anciens consacre à la « méthode de l'histoire ». L'analyse tout entière tourne autour de cette idée que le discours historique, travaillant sur un objet absent et ayant pour fin la « résurrection intégrale du passé », ne saurait en aucune manière être scientifique, qu'il est de l'ordre de l'art et que l'imagination y joue un rôle tel qu'on ne peut attendre de lui aucune vérité, au sens philosophique du terme. Bref, l'histoire serait seulement capable de marquer des vérités événementielles, ponctuelles et de combler, par des conjectures empruntant à la littérature, les énormes lacunes subsistant. Ce que juge alors la philosophie, ce n'est même pas le travail d'historien que défendaient, au début du siècle, Langlois et Seignobos : c'est, sous le nom d'histoire, le récit historien incontrôlé qui continue de fleurir, depuis le XVIe siècle, en Europe et qui n'est rien qu'un « genre littéraire » parmi les autres. N'est-ce pas Georges Duhamel, ce « grand romancier », qui disait : « L'histoire est le roman du passé, le roman d'histoire du passé ? » Nos académiciens ne sont-ils pas les premiers à couvrir de leur autorité superacadémique toutes ces collections historiques à grand tirage où interfèrent, dans la plus complète contingence, la volonté des chefs et le poids des alcôves, le destin du monde et les engouements fugitifs des peuples, les résultats pseudo-démographiques et les généralités « marxistes » ?

Toujours est-il qu'est fixée dans l'esprit de l'élève, soumis déjà durant des années à l'histoire littéraire et aux « biographies intellectuelles » des grands écrivains, l'image de la « discipline historique » comme nomenclature de personnages et d'événements. La procédure d'exclusion est en route, naïve et efficace : l'alternative est simple. Ou bien le discours historique est replacé là où on l'a situé dès le départ : du côté du récit, intéressant, significatif (bien sûr !), mais dénué essentiellement de vérité ; du côté de cette littérature que la philosophie a la coutume condescendante de reconnaître aimable objet de l'esprit « en quête de toutes choses ». Ou bien, ce discours est compris comme annonçant ce qui lui manque : l'intelligibilité, que seule détient la réflexion philosophique. En cette seconde éventualité, l'étude académique de l'histoire conduit — combien simplement — à la philosophie de l'histoire, à cette fantasmagorie humaniste qui est comme la réplique de cette autre rêverie, qui la complète, la cosmologie rationnelle. Elle sera spiritualiste ou matérialiste, idéaliste ou réaliste, optimiste ou pessimiste dans ces résultats. Qu'importe ! Dans ses attendus, elle évoquera les diverses philosophies de l'histoire de Bossuet à Toynbee, en passant par Comte et par Marx (et même par Lénine, par Lukacs, par Teilhard de Chardin aussi !). Et, de la sorte, elle réintroduira la spéculation, les dissertations abstraites sur l'homme et sur la temporalité ; elle aura mis entre parenthèses les sciences historiques dans leurs travaux réels ; elle aura raffermi le pouvoir judicatoire d'une psychophilosophie qui n'admet d'autre tribunal que celui d'une conscience réfléchie et honnête.

Selon un schéma analogue, furent ainsi répudiées par tout un courant de la P.S.U., dans le dernier tiers du XIXe siècle, les recherches des sociologues et des psychologues, taxées de positivisme et de matérialisme. Deux « camps » se constituèrent alors au sein de l'université française, le spiritualiste et le matérialiste, l'un et l'autre soutenus par l'institution, chacun triomphant à sa manière et développant ses arguments péremptoires. Dans les amphithéâtres dorés, le premier dissertait sur la conscience ; dans les laboratoires du cinquième étage, c'est bien la même réalité qu'on interrogeait, mais pour la soumettre à des épreuves, qui bientôt devinrent des « tests ». Grâce à l'habile opération menée par Bergson — qui à la fois réfutait la science du psychisme et lui donnait la parole —, tout fut bientôt prêt pour que la P.S.U., avec son retard habituel, passe à la seconde étape : celle de la *complémentarité.*

Cette fois, on ne rejette plus les sciences humaines : on les ajoute. Nous avons déjà évoqué, à propos du lieu commun n° 1, les analyses surprenantes que suscite la rubrique du programme qui commande de parler de la mémoire. La notion psychophilosophique de la mémoire est intégralement maintenue : il est posé comme évidence que le sujet se souvient de soi, que l'affaire est entre soi et soi, qu'elle est compliquée, mais décisive, qu'il ne faut pas confondre habitude et mémoire, reconnaissance et rappel, évocation vague et précise souvenance. Mais ces opérations constitutives du *moi,* il ne faut pas les délier de leurs conditions. A l'exercice de la mémoire, il y a des conditions physiologiques. Dès lors, le chapitre commence par une énumération à apparence scientifique qui ne fait rien que présenter dans un langage « médical » ce que le sens commun colporte sur les précautions à prendre si l'on veut conserver une « bonne » mémoire ! Mais plus édifiant encore est le complément final.

Après avoir étudié les drames de la conscience aux prises avec son passé, voici qu'il faut en venir à d'autres conditions. Sociales, d'abord. « On ne se souvient que de soi-même », disait Amiel ; mais il y a des cadres sociaux à la mémoire dont il convient de tenir compte. Un paragraphe « sociologique » s'ajoute qui introduit des informations supplémentaires. Il y a aussi la psychanalyse qui, malgré ses excès, a apporté des idées intéressantes : l'occasion d'un autre paragraphe est donnée. L'œuf du savoir de la P.S.U. s'arrondit. Et bientôt s'adjoindront les considérations ethnologiques sur le mythe — cette « mémoire primitive »... A quand les études académiques sur la « mémoire de classe », dans la perspective d'un marxisme « complémentaire » ?

Les rubriques du programme traditionnel, versions 1925 ou 1960, s'enrichissent ainsi de connaissances nouvelles, dont, précisément, toute nouveauté est exclue, puisqu'elles sont simplement reçues comme introduction ou comme appendice. Signalons, à ce propos, que les sciences historiques, que nous évoquions à l'instant comme exemple, subissent, le plus souvent, le même traitement : la P.S.U. ajoute volontiers à ses débats abstraits sur l'histoire : « art ou science ? », des remarques concernant le matérialisme historique ou la révolution méthodologique introduite par l'école dite des *Annales*. Quant à l'essentiel de l'analyse, il demeure, irréductible et pédagogique.

L'académisme est en train de mettre au point un nouveau dispositif, qu'annonçaient les modalités techniques d'exclusion et de complémentarité ; celui de l'*intégration*. La situation idéologique est telle qu'il n'a plus à sauvegarder ce noyau de spiritualité dont il a été longtemps dépositaire. A l'intérieur de la P.S.U., les sciences humaines, telles qu'elles sont devenues, peuvent circuler allégrement : qui donc voudrait refuser une science psychologique ou une science sociologique, fondées, l'une et l'autre sur des kilogrammes et des kilomètres d'enquêtes et qui visent à définir la normalité même et, même, la normalité de l'anormalité ? Dès lors, la P.S.U. en fonction de sa rhétorique, prendra là où il lui convient les arguments de sa démonstration rassurante : qu'a-t-elle à craindre d'une sociologie qui découvre son efficacité dans les enquêtes de marché, d'une psychologie qui vise à l'intégration professionnelle, d'une psychiatrie qui, parallèlement à la police, a pour objet de définir les *déviants dangereux ?* Quel risque court-elle lorsqu'elle se demande, avec « la sociologie la plus avancée », s'il y a onze ou dix-sept critères permettant de cerner une classe sociale ?

Psychophilosophie et « sciences humaines » peuvent désormais faire bon ménage. Les « points de vue » empiriques que celles-ci ont « scientifiquement » établis sont comme la mise en œuvre de cette neutralité, de cette objectivité que celle-là a prises, d'entrée de jeu, comme sa perspective privilégiée et sa légitimation. Et il est bien vrai que, dans leur allure générale actuelle, ce qu'on entend par sciences humaines — singulièrement la psychologie et la sociologie universitaires — n'est rien d'autres que les T.P. (les « travaux pratiques ») de la philosophie académique ; leurs « travaux pratiques », ou leur modernisation, si l'on préfère (avec les conséquences qu'en dégagent, bien vite, les sciences humaines appliquées !).

Demeurent des secteurs difficilement réductibles. Il n'est pas sûr que les sciences humaines possèdent cette homogénéité et cette tranquille assurance positiviste et pragmatique que le bon sens supérieur leur confère ; il est encore moins sûr qu'elles aient un objet — serait-ce à titre de projet — commun, et que la dénomination qu'il leur est couramment attribuée (« humaines ») corresponde à quoi que ce soit que l'on puisse rigoureusement repérer (« l'homme »). Est-ce bien à l'homme que s'intéresse l'histoire ? Ou la géographie ? Ou l'économie politique ? De quel homme est-il question lorsque les ethnologues travaillent, lorsque les sociologues s'interrogent sur le statut et l'objet de leur entreprise ? De quoi, de qui parle le psychologue, confronté avec les textes de Freud ? L'histoire — comme science — n'est pas plus un paragraphe du chapitre psychophilosophique consacré à la mémoire que la psychanalyse n'est un moment de l'analyse psychologique portant sur le rapport conscient/inconscient.

Du coup, la P.S.U. va devoir réintroduire, à l'égard de certaines des « sciences humaines » des procédures d'*exclusion* et — quand cela n'est pas possible — de *complémentarité,* qui relèguent carrément en deçà les touchantes idylles de l'*intégration.*

C'est évidemment contre les siences humaines dont les développements récents mettent en question les perspectives traditionnelles de la psychophilosophie que s'exerce l'opération réductrice. La P.S.U. peut évidemment s'entendre avec une sociologie diluée dans l'empirisme ou avec une psychologie tout occupée d'« expérimentations » : elle est plus embarrassée quand il s'agit de linguistique ou d'ethnologie ; et son hostité est franche lorsqu'elle se heurte aux textes de Freud.

Soit quelques exemples schématiquement présentés. Ceux qui concernent la linguistique d'abord. Il va de soi que l'académisme se considère comme orfèvre en matière de langage. Du *Cratyle* à Henri Delacroix, le passé philosophique n'a-t-il pas accumulé des réflexions décisives ? N'est-il pas normal d'ailleurs qu'une recherche se donnant pour fin la constitution du discours intégralement légitimé et de la parole authentique ait médité avec efficacité et profondeur sur la relation langage/pensée ? Or, voici qu'une science apparaît, rigoureuse et d'une surprenante fécondité, et s'étend, se retourne, de Troubetzkoï et Saussure à Chomsky : cette science a l'audace non seulement de prendre de la distance à l'égard de ses propres antécédents — la linguistique « normative » des siècles classiques ou la linguistique « historique » du siècle dernier — mais encore de négliger, de mettre entre parenthèses les réflexions « décisives » d'une philosophie devenue académique. Elle est si puissante qu'elle se permet la désinvolture : des étymologies ironiques du *Cratyle,* elle tire autre chose qu'une conclusion désabusée sur l'« arbitraire » et la « convention » du langage ; elle ressuscite l'intérêt pour des aspects de la pensée philosophique vivante que la P.S.U. avait complètement oblitérés. Elle ose parler de « linguistique cartésienne » ; elle contraint le philosophe à prendre en considération l'*Essai sur l'origine des langues* de J.-J. Rousseau ; elle lit Hegel et Husserl d'une manière si déroutante qu'on en vient à se demander s'il n'y a pas, finalement, de l'inattendu dans ces répétitions classiques.

De la sorte, la linguistique soustrait à la philosophie un de ses objets privilégiés. Mais ce n'est pas pour le faire basculer du côté de la positivité et de l'empirisme : en tant que telle et avec la force d'évaluation que lui confère sa pratique scientifique, elle construit un domaine de recherches dont les résultats sont tels que les problèmes « fameux » de l'authentique parole, du lieu originaire auquel correspondraient — comme dans un livre ou une révélation — la pensée (subjective-« désubjectivée ») et le dire (de ce qui est « en vérité ») tombent comme vieilles mouches au milieu de l'automne. Que peut donc faire la P.S.U. quand elle se tient au courant ? Elle *ajoute*. Quelques paragraphes s'adjoindront à l'exposé « normal », où il sera question, hâtivement, des couples signifiant/signifié, diachronique/synchronique, etc. Dans les vitrines des libraires surgiront des présentations — quelquefois techniquement correctes — de la linguistique contemporaine, sans que, en général, soit indiqué ceci : que le point de vue du sujet (subjectif- « désubjectivé ») — centre de la P.S.U. — n'a, en toute rigueur, aucune importance...

L'ethnologie contemporaine pose à l'académisme des problèmes semblables. Elle aussi a réussi à déterminer son objet de manière stricte et à se constituer en science rigoureuse. Or, elle n'a pu parvenir à ces résultats qu'en négligeant systématiquement les concepts et les méthodes de la psychophilosophie — concepts et méthodes qui ont si lourdement hypothéqué le développement de la sociologie, par exemple. Elle a montré, plus dangereusement, qu'elle ne pouvait assurer son statut scientifique qu'en mettant en question les principes mêmes qui l'établissent. Remords tardifs de la colonisation, la recherche ethnologique — dans ses techniques d'investigation (qui les opposent concrètement à tous les « flics » coloniaux et néo-coloniaux chargés d'encadrer les primitifs et leurs territoires), dans ses méthodes (qui contredisent à l'ordre arbitrairement imposé des sciences *de l'homme*) et dans ses conséquences (qui, montrant que la pensée peut être « sauvage », prouvent que la « pensée » — et ses avatars logiques, catégoriques et moraux — telle que l'entend l'européocentrisme, n'est rien qu'un épisode dans une histoire qu'on ne peut même plus désigner comme *progrès*) — détruit de fond en comble toutes les prétentions à un savoir exhaustif résultant d'une bonne et sérieuse connaissance de ce qu'est l'homme, en général.

Mais il n'est pas commode, pour la P.S.U., d'éluder les surprenantes leçons qu'apporte une discipline hautaine et fraternelle, qui traite, *théoriquement* et *scientifiquement,* des effets de l'impérialisme conceptuel et pratique de l'Occident. Dès lors, la P.S.U. *ajoute.* Aux exposés classiques sur la mentalité ou sur l'âme primitives, viendront s'adjoindre, à titre de complément, les remarques de l'ethnologie fonctionnaliste ou structuraliste. Comme s'il agissait d'une correction, d'une information supplémentaire commandées par l'accroissement normal des connaissances. Que les textes qui précèdent, dans l'ordre pédagogique d'exposition, en soient foncièrement invalidés — ceux consacrés, par exemple, à la naïve primitivité comme première étape de la civilisation —, c'est là un désordre « apparent » que la rhétorique de la P.S.U. n'hésitera pas à dépasser. L'ethnologie actuelle est réduite à n'être plus qu'un moment contingent et intéressant dans l'éclectique connaissance de la condition humaine.

Or, au niveau où se situe précisément l'académisme, la psychanalyse pose des problèmes plus compliqués encore. Faire accroire — malgré les leçons de la linguistique — qu'il y a une pensée, une parole, une intention foncièrement préalables au langage, on peut encore y arriver ; laisser entendre — malgré la définition que donne l'ethnologie de son origine et son actuel statut — qu'en fin de compte, il n'y a de salut que dans la philosophie de la réflexion, caractéristique de l'européocentrisme (avec ses variantes sceptiques, mystiques ou herméneutistes), on y parviendra, par le biais de quelques ruses et d'omissions importantes. Les deux opérations ne présentent guère de difficulté pédagogique. Un pseudo-Descartes, le vrai Bergson viendront utilement en témoignage quand il est question du langage ; et le poids de l'opinion commune, « naturellement » et hypocritement raciste, interviendra quand il s'agit des « primitifs ». Il est de fait qu'avec Freud — est-ce une autre radicalité qui intervient ? — l'intégration rhétorique est moins commode. Face à la psychanalyse, la P.S.U. use naïvement et « inconsciemment » de toutes ses ressources : il lui faut en effet à la fois réduire et éluder des résultats que les contradictions de l'opinion commune, en même temps, imposent et réprouvent. Bref, le problème est celui du sexe.

En cette affaire, quotidienne et qui touche singulièrement ces élèves, ces étudiants auxquels il s'adresse, l'académisme contemporain ne peut guère jouer la pruderie — sauf circonstances exceptionnelles. Il y a trop de spectacles à deux ou trois dimensions, en repos, en mouvement, exhibés constamment, pour qu'on puisse feindre l'innocence ; il y a trop de littérature adjointe, qui se prévaut de Freud et de la psychanalyse, pour qu'on puisse prétendre à l'ignorance. Du coup, la manœuvre doit devenir plus subtile : il lui faut jouer simultanément des techniques d'*exclusion* et de *complémentarité* — afin d'introduire, en dernier ressort, la procédure d'*intégration* (ou de *réduction*).

Quant à l'opération d'exclusion, il n'est sans doute pas nécessaire d'insister. Brutale, elle se fait par le moyen de la simple omission ; « nuancée », elle s'attache à rejeter du côté de l' « exception » les travaux « intéressants et anecdotiques » que Freud a pu consacrer à des « cas pathologiques ». Est suggérée ainsi l'idée qu'au fond la psychanalyse, s'occupant des « déviants », géniaux ou débiles, est un peu comme la littérature, qui elle-même s'intéresse souvent aux déviances fructueuses. En tout cas, dans cette perspective exprimée par de multiples manuels, ce ne saurait être l'affaire de la philosophie, qui s'adresse à la saine généralité — à tout un chacun — afin de permettre à cet homme quelconque de se constituer, dans l'universalité du jugement réfléchi, neutre, transparent et impartial, comme tribunal incontestable du crime et de la folie.

Les circonstances contemporaines n'autorisent pas longtemps le maintien d'une telle position : les « aberrations » sont si nombreuses que la P.S.U. se verrait reprocher de contredire à la tâche d' « information » qu'elle prétend se donner, si elle méconnaissait la généralité de la « déviance ». Dès lors, selon un procédé dont nous avons déjà analysé les modalités et d'autres domaines, elle admet la psychanalyse comme force d'appoint. La P.S.U. reconnaît, par exemple, deux inconscients : le normal et le pathologique. Du premier, Platon, Leibniz, les psychophysiologistes,

Bergson (et quelques autres) ont parlé ; ils ont su, ceux-là, nous rappeler que la conscience s'édifie sur un *fond* qu'on aurait tort de méconnaître ; sur le second, Freud nous a apporté des témoignages précieux, ceux d'un médecin attentif aux problèmes que posent une enfance incertaine, une éducation maladroite, une adolescence contrainte, une maturité problématique... Il n'est certes pas question d'abandonner le primat de la conscience réfléchie ; mais il n'est pas mauvais — afin de se garantir contre des irruptions souterraines — de connaître les informations que transmet une enquête méticuleuse portant sur des « sujets » situés dans une zone intermédiaire, ni fous, ni normaux, simplement bizarres et, comme tels, révélateurs. Du coup, la P.S.U. adjoint volontiers à ses descriptions psychosociophilosophiques des considérations concernant l'importance — eh oui ! — de la sexualité, les sollicitations du besoin et le fait, qu'après tout, il faut bien reconnaître que, quelle que soit la « pureté » à laquelle il convient d'accéder, le sujet qui pense, qui juge, qui parle, a été un enfant et qu'il a eu des parents.

Suivent ainsi des appendices. Ce sont autant de corrections apportées aux exposés traditionnels. Des corrections ? Peut-être simplement des réajustements. Comme on l'a déjà noté, s'adjoignent aux rubriques du programme des paragraphes sur la conception psychanalytique de la mémoire, de la personnalité, de la lutte des classes et de l'œuvre d'art, qui viennent donner, dans l'optique d'un éclectisme trop communément admis pour avoir encore des principes, un complément ou un supplément d'idées...

Il serait injuste, en fait, de mettre à charge de la seule P.S.U. française cette aimable réduction qui institue la psychanalyse comme département spécialisé de la psychologie. Alors même qu'elle n'avait pas encore réussi à imposer son agression triomphante, l'entreprise freudienne était déjà l'objet de castrations exemplaires. Des « archétypes » de Jung et de la « volonté de puissance » d'Adler jusqu'aux psychothérapies à la mode aujourd'hui, les textes de Freud ont été pillés, déformés, soumis à des malversations, tout autant que ceux de Marx ou de Nietzsche.

La P.S.U. emboîte le pas, allégrement. Elles pressent qu'il n'est pas bon d'évoquer la force écumante du désir ; elle ne sait trop comment parler, dans un discours que l'auditeur — élève ou étudiant — ne manquera pas d'unifier, du *Cogito,* de l'exigence morale et de l'irrémédiable présence/absence du phallus. Elle se réfugie alors dans ces « tranquillisants » que constituent les diverses récupérations du travail freudien qu'a suscitées, patiemment et en s'appuyant sur les institutions médicales et universitaires, l'opinion dominante et normalisatrice. C'est ainsi que la psychanalyse, « partie » de la psychologie, devient, par le fait de l'académisme, un lieu doctrinal où l'on discute poliment de la plus ou moins grande importance du « facteur sexuel »...

La P.S.U. a fait semblant de s'intéresser aux sciences de la nature. De cet intérêt distrait, elle n'a tiré que des chapitres plats sur l'induction, la déduction, l'analyse et la synthèse. Elle a réduit l'activité scientifique à un schéma, justifiant, dès lors, toutes les intégrations simplifiantes : voici Cantor à côté de Pythagore, Riemann à côté d'Euclide, Mendéléïev à côté de Lavoisier, Bachelard à côté de Descartes, dans la suite de paragraphes académiquement informateurs. Dans les meilleurs cas, le programme universitaire fait place à la nouveauté : c'est aussitôt pour l'intégrer à ses vieilleries et à ses *tabous*. Dans son optique, les ruptures ne peuvent être que superficielles : n'est-il pas indispensable à son projet de sauvegarder l'unité et le progrès de la raison humaine ?

Son attitude à l'égard des sciences humaines est analogue. Car, il s'agit encore pour elle d'assurer les pleins pouvoirs de la psychophilosophie. L'entreprise, toutefois, est autrement compliquée : dans leur forme, les sciences humaines sont, aux yeux de l'académisme, justiciables du même traitement que les sciences de la nature ; elles doivent, en tant que *sciences*, rendre des comptes à la suprême juridiction philosophique. Mais, dans leur contenu et leur spécification, elles ont une autre fonction : elles ont à charge de légitimer, « concrètement », expérimentalement, le point de vue que la P.S.U. a adopté, d'entrée de jeu : celui de l'humanisme. Du même coup, le système des alliances et des animosités se nuance : la psychologie, dans son entier, quelle que soit l'épithète dont il la qualifie, est acceptable — matérial-iste, spiritual-iste, réflexive, phénoménologique, x-iste, y-iste — ; elle entrera toujours, étant donné son statut initial, dans le bon ordre. Avec la sociologie, il y a déjà plus de difficultés, dans la mesure où, plus directement produite par la société contemporaine, celle-ci exprime immanquablement des contradictions sociales dans l'idéologie même.

Le traitement infligé aux sciences historiques est plus révélateur encore. L'histoire doit être présente dans les programmes de la P.S.U. (la tâche « informatrice » y contraint) ; mais elle n'y doit figurer qu'en tant qu'elle alimente le moulin psychophilosophique. Dès lors, s'organisent deux discussions académiques, l'une concernant la nature du discours historique — art ou science ? —, l'autre portant sur les vertus comparées des diverses philosophies de l'histoire. Quant aux tâches réelles des historiens, aux difficultés qui viennent des institutions au sein desquelles s'effectue ce travail, elles sont mises entre parenthèses...

La géographie, l'économie politique, les « sciences politiques », elles, sont purement et simplement omises. Et on vient de voir que la linguistique, l'ethnologie, la psychanalyse, édulcorées, simplifiées, n'interviennent que comme aimables compléments, destinés seulement à ajouter un parfum de modernité à des analyses posées, une fois pour toutes, pour intangibles.

La structure d'accueil de la P.S.U. n'est ouverte qu'en apparence : des sciences humaines, elle ne reçoit que celles qui acceptent le modèle méticuleusement empiriste de la psychologie — de celle-ci, elle n'a rien à craindre ; mais que les sciences constituent, à partir de leurs pratiques, des objets soigneusement définis et des méthodes rigoureuses, alors elle les élimine, les travestit ou les réduit. La P.S.U. a bien raison : il ne resterait rien de son édifice rhétorique si elle donnait réellement la parole à Freud ou à l'ethnologie, par exemple...

CONCLUSION

Cette description schématique de la philosophie scolaire et universitaire, en France, a eu seulement pour objectif de révéler le « système » idéologique imposé par l'institution, système qui, désormais, va fournir à qui pense, à qui écrit, à qui décide, en ce pays, ses concepts clés et ses valeurs primordiales. *Paponus scripsit contra Cartesium.* On croit rêver ! Qu'un préfet de police soit en mal de notoriété, qu'un candidat à la députation veuille « élever le débat », qu'un économiste ou un architecte s'aventure hors de sa spécialité, qu'un journaliste ait le désir de faire dans le grand style ou qu'un savant biologiste considère de son devoir de communiquer à ses contemporains quelques nobles pensées, tous et chacun se croiront obligés d'en appeler à la philosophie, à sa terminologie, à ses notions ; et ce qu'ils entendront, les uns et les autres, par philosophie, ce sera précisément cet ensemble disparate d'informations, de faits, de références, de raisonnements que sécrète le programme des classes terminales des lycées et collèges.

Mais il faut apporter ici deux précisions. La première est une redite, mais elle est importante. Il est vrai que l'institution universitaire, dans sa démarche effective et ses dispositions légales, est non dogmatique, qu'elle n'impose, de quelque manière que ce soit, aucune forme ou aucun contenu déterminé. Il est vrai que la circulaire signée Anatole de Monzie et quelques-unes, plus récentes, qui la complètent, stipulent que le programme n'est qu'indicatif, que son ordre peut toujours être modifié et que la liberté de chacun — enseignant, élève — est complète. Et, de fait, le professeur de « classes terminales » peut procéder comme bon lui semble, pourvu qu'il sache faire aimer la philosophie et développer les capacités réflexives, en général. Mais ce libéralisme apparent a une limite et cette liberté déclarée sombre dans la plus complète abstraction. Car il y a une sanction, en fin d'année : le baccalauréat. S'y confrontent, dans un rapport de forces vague et variable, une masse d'élèves et une caste de correcteurs, les uns et les autres réduits, en vertu du principe d'impartialité, au strict anonymat. Dans l'affaire, de part et d'autre, c'est la peur qui domine : celle du candidat qui craint d'être « collé » par maladresse, par malchance, celle du juge qui, transpercé par sa conscience professionnelle, redoute d'être injuste, répressif, partial et qui se voit investi d'une tâche sélective décisive. Comment peut-on jouer un jeu aussi équivoque ? Il n'y a d'autre solution que de prendre pour référence la règle extérieure et le contenu de « pensée » que celle-ci impose : le programme... Les fabricants de manuels, dont la vocation est commerciale, ne s'y trompent pas, bien sûr : ce qu'ils présentent comme philosophie — que nous avons nommée la P.S.U. — c'est ce mélange, à la fois consistant et incohérent, produit par la tradition institutionnelle des textes de 1880, de 1902, de 1925 et 1969 (circulaires « rectificatives » et « libératrices » adjointes). Et il faut bien dire que l'enseignant accueille cette issue avec un lâche soulagement.

La seconde précision concerne l'amplitude même de l'analyse que nous proposons ici. Des textes qui précèdent, on pourrait induire l'idée qu'il y a, en France, deux philosophies — et deux enseignements y correspondant : la P.S.U., produit des classes secondaires, banale, élémentaire, influant sur les couches les plus simplistes de l'opinion dominante ; l'éducation philosophique — sérieuse, enfin — qui serait divulguée, elle, dans les facultés. Il suffit de consulter, dans leur généralité, les productions de l'enseignement supérieur, en France, pour comprendre, bien vite, que l'université n'est rien d'autre qu'un lycée prolongé (et cela dans les meilleurs cas) et que sa fonction est soit de réitération, soit de dérivation : l'université réitère l'ordre de la P.S.U. en l'approfondissant, en lui donnant de « meilleures » légitimations, en appelant à l'aide l'érudition, en apportant des informations nouvelles et plus subtiles, mais qui, le plus souvent, viennent de telle manière qu'elles n'ont d'autre fonction que de combler les lacunes les plus criantes de l'ordre intellectuel imposé ; quant à l'opération de dérivation, elle s'exerce dans ce qu'on appelle la « recherche » (suspecte, d'ailleurs, de la part des pouvoirs publics, de nourrir des serpents, et de plus en plus menacée) : on fait alors la part du feu : que se diffuse l' « arôme spirituel », même si, de temps à autre, il y a quelques odeurs désagréables. Au vrai, c'est *toute* la philosophie qui est compromise par l'ordonnance de la P.S.U.

Jean-Paul Sartre est optimiste — c'est-à-dire moralisant — lorsqu'il déclare que l' « horizon de la culture, c'est le marxisme ». Le fait horizontal de la culture, c'est ce désordre consistant qui, grâce au principe *humaniste*, grâce à la psychophilosophie institutionnalisée permet la cohabitation tranquille de la psychologie et de l'épistémologie, de la « morale pratique » et de l'appréciation politique, de Descartes et de Marx, de Bossuet et de Darwin, de Kant et de Lénine... Il n'est pas exclu que le prochain manuel « bien en cours » ajoute à ses analyses traditionnelles quelques réflexions hâtivement profondes sur la pensée de Mao Tsé-Toung !

La P.S.U. est le lieu de l'intégration. Depuis Victor Cousin, elle s'est attachée à construire les institutions pédagogiques et les lieux « intellectuels » permettant à l'opinion bourgeoise de récupérer à son profit les découvertes et les inventions scientifiques, de répercuter, en fonction de ses « valeurs », les événements historiques, de réduire toute notion originale à son système incohérent-consistant. Par sa médiation, la philosophie spéculative subsiste au-delà de sa mort réelle, sous les aspects d'une psychophilosophie débile ou, dans un meilleur cas, d'érudition historienne qui s'épuise à force de n'avoir d'autre objet que sa propre critique.

La philosophie comme telle, aujourd'hui, est l'administration déférente d'un cadavre (elle n'est pas, d'ailleurs, la seule discipline universitaire à être dans cette situation). L'important est de le savoir et, quand on le sait, de le dire... Il serait absurde, dans la situation actuelle, de proposer une quelconque réforme (ou une quelconque révolution) du programme philosophique des lycées et des facultés. Ajoutez aux auteurs pris traditionnellement en référence, Marx, Lénine, Trotsky, Mao Tsé-Toung, vous n'obtiendrez rien qu'une nouvelle version du *Traité de morale* de Malebranche. Le vide théorique (le trop-plein rhétorique) qui institue le néant de l'exercice psychophilosophique ne saurait être comblé par un produit de remplacement qui, dans un seul coup, apporterait la richesse d'un savoir progressiste et scientifique. Dans cette perspective, il n'y a aucune solution recevable. A cet égard, les *Principes élémentaires de philosophie,* attribués à Politzer et qui prétendaient présenter le fond philosophique doctrinal du matérialisme dialectique (de la « philosophie » marxiste), ne sont rien que le retournement abstrait des manuels construits autour des principes thomistes...

Faut-il donc tenir pour la suppression pure et simple de l'enseignement philosophique ? Convient-il, pour libérer l'incontestable force révolutionnaire que recèlent les masses lycéennes et étudiantes, de militer pour l'anéantissement de cette idéologie superbe et plastronnante qui se prévaut de Platon, de Spinoza, de Marx et de quelques autres comme Hegel, Nietzsche ou Freud ? Nous l'avons indiqué dès l'introduction : c'est là une position naïve et fanatique. Ce n'est pas pas hasard qu'il y a aujourd'hui, en France, un enseignement de la philosophie ayant tel programme et tel contenu, que des élèves sont séduits par cet enseignement et que nombreux sont les étudiants en philosophie. Prétendre biffer cette réalité par une simple décision est une illusion volontariste.

Reste donc ceci, à quoi nous avons essayé de travailler dans cet essai : utiliser ce lieu qu'est l'enseignement de la philosophie dans les lycées et dans les facultés pour critiquer cet enseignement, son programme, les modalités des examens et concours, la signification politique de la sélection, pour dénoncer l'impérialisme dont ose se prévaloir encore la spéculation, pour révéler les supercheries que véhiculent les sciences humaines, pour mettre en évidence la différence existant entre l'idéologie philosophique et les productions des pratiques réelles, scientifico-techniques et politiques ; bref, pour faire apparaître clairement ce qu'a été, dans le passé, la fonction de la philosophie ; et ce qu'elle est dans le présent, dans son expression scolaire et universitaire : la légitimation en même temps que l'arôme spirituel de l'ordre bourgeois.

C'est là une tâche modeste, non exclusive d'actions plus rebelles. Mais elle a le mérite de se situer en son lieu empirique. Et d'y combattre.

ANNEXES

PROGRAMME DE 1902
CLASSES DE PHILOSOPHIE A ET B
PHILOSOPHIE
ET AUTEURS PHILOSOPHIQUES

I. — *PHILOSOPHIE*

N.B. — L'ordre adopté dans le programme n'enchaîne pas la liberté du professeur ; il suffit que les questions indiquées soient toutes traitées.

Introduction. — Objet et divisions de la philosophie.

PSYCHOLOGIE

Caractères propres des faits psychologiques. La Conscience.

La vie intellectuelle.

Les données de la connaissance. Sensations. Images. Mémoire et association.

L'attention et la réflexion. La formation des idées abstraites et générales. Le jugement et le raisonnement.

L'activité créatrice de l'esprit.

Les signes, rapports du langage et et de la pensée.

Les principes rationnels, leur développement et leur rôle.

Formation de l'idée de corps et perception du monde extérieur.

La vie affective et active.

Le plaisir et la douleur. Les émotions et les passions. La sympathie et l'imitation.

Les inclinations. Les instincts. L'habitude.
La volonté et le caractère. La liberté.
Conclusion. — Le physique et le moral. L'automatisme psychologique. La personnalité : l'idée du *moi.*

NOTIONS SOMMAIRES D'ESTHÉTIQUE

Notions sommaires sur le beau et sur l'art.

LOGIQUE

Logique formelle. — Les termes. La proposition. Les diverses formes du raisonnement.
La science. — Classification et hiérarchie des sciences.
Méthode des sciences mathématiques. — Définitions. Axiomes et postulats. Démonstration.
Méthode des sciences de la Nature. — L'expérience : les méthodes d'observation et d'expérimentation. L'hypothèse ; les théories. Rôle de l'induction et de la déduction dans les sciences de la Nature. La classification.
Méthode des sciences morales et sociales. — Les procédés de la psychologie. Rapports de l'histoire et des sciences sociales.

MORALE

Objet caractère de la morale.
Les données de la conscience morale : obligation et sanction.
Les mobiles de la conduite et les fins de la vie humaine : Le plaisir, le sentiment et la raison. L'intérêt personnel et l'intérêt général. Le devoir et le bonheur. La perfection individuelle et le progrès de l'humanité.
Morale personnelle. — Le sentiment de la responsabilité. La vertu et le vice. La dignité personnelle et l'autonomie morale.
Morale domestique. — La constitution morale et le rôle social de la famille. L'autorité dans la famille.
Morale sociale. — Le droit. Justice et charité. La solidarité.
Les droits. — Respect de la vie et de la liberté individuelle. La propriété et le travail. La liberté de penser.

Morale civique et politique. — La nation et la loi. La patrie. L'État et ses fonctions. La démocratie ; l'égalité civile et politique.

N.B. — Le professeur insistera, tant à propos de la morale personnelle que de la morale sociale, sur les dangers de l'alcoolisme et sur ses effets physiques, moraux et sociaux : dégradation morale, affaiblissement de la race, misère, suicide, criminalité.

MÉTAPHYSIQUE

Valeur et limites de la connaissance.

Les problèmes de la philosophie première : la matière, l'âme et Dieu.

Rapports de la métaphysique avec la science et la morale.

II. — *AUTEURS PHILOSOPHIQUES*

Le professeur choisira dans la liste suivante quatre textes qui seront commentés en classe et qui serviront de base à l'exposition des systèmes de philosophie auxquels ils se rattachent.

Xénophon : un livre des *Mémorables.*

Platon : *Phédon, Gorgias,* un livre de *la République.*

Aristote : un livre de *la Morale à Nicomaque,* un livre de *la Politique.*

Epictète : *Manuel.*

Marc-Aurèle.

Lucrèce : *De natura rerum* (livre II ou livre V).

Sénèque : extraits des *Lettres à Lucilius* et des *Traités de morale.*

Bacon : *De la dignité et de l'accroissement des sciences.*

Descartes : *Discours de la méthode ; Méditations ; les Principes* (livre I).

Pascal : *Pensées et* opuscules.

Malebranche : *De la recherche de la vérité* (livre I ou livre II) ; *Entretiens sur la métaphysique.*

Spinoza : *Ethique* (un livre).

Leibniz : *Nouveaux Essais* (avant-propos et livre I) ; *Théodicée* (extraits) ; *Monadologie ; Discours de métaphysique.*

Hume : *Traité de la nature humaine* (un livre).

Condillac : *Traité des sensations* (livre I).

Montesquieu : *Esprit des lois* (livre I).

J.-J. Rousseau : *Contrat social* (un livre).
Kant : *Fondements de la métaphysique des mœurs ; Prolégomènes.*
Jouffroy : extraits.
A. Comte : *Cours de philosophie positive* (1re et 2e leçon) ; *Discours sur l'esprit positif.*
Cl. Bernard : *Introduction à l'étude de la médecine expérimentale* (1re partie).
Stuart Mill : *Logique* (livre VI) ; *l'Utilitarisme ; la Liberté.*
Spencer : *Les Premiers Principes* (1re partie) ; *Introduction à la science sociale.*

PROGRAMME DE 1925
CLASSE DE PHILOSOPHIE

8 heures 30

I. — *PROGRAMME OBLIGATOIRE*

N.B. — L'ordre adopté dans le programme n'enchaîne pas la liberté du professeur ; il suffit que les questions indiquées au programme obligatoire soient toutes traitées.

INTRODUCTION. — Caractère général de la philosophie.

PSYCHOLOGIE

Objet de la psychologie. Caractère des faits psychologiques ; leurs relations avec leurs faits physiologiques. Le point de vue introspectif et le point de vue objectif.

Sensations et images. La perception. L'étendue. L'idée d'objet.

L'association des idées. La mémoire. L'imagination. L'attention.

L'abstraction et la généralisation. Rôle des signes. Rapports du langage et de la pensée.

Le jugement et le raisonnement.

Sensibilité et activité. Les tendances et les mouvements.

Les plaisirs et les douleurs d'ordre physique et d'ordre moral. Les émotions. Les passions.

L'instinct. L'habitude. La volonté.

Conscience, inconscience, personnalité.

Problèmes métaphysiques posés par la psychologie : la raison, la liberté.

LOGIQUE

Les procédés généraux de la pensée, intuition et connaissance immédiate, raisonnement et connaissance discursive. Déduction et induction. Analyse et synthèse.

La science et l'esprit scientifique.

Les mathématiques : objet et méthode. Leur rôle actuel dans l'ensemble des sciences.

Les sciences expérimentales : l'établissement des faits ; la découverte et la vérification des lois ; les principes, les théories.

Quelques exemples des grandes théories de la physique, de la chimie ou de la biologie modernes.

Les sciences morales ; le rôle de l'histoire et de la sociologie.

MORALE

Le problème moral. La morale et la science.

La conscience morale : sa nature et sa valeur.

Le devoir et le droit. La responsabilité.

La justice et la charité.

Les grandes conceptions de la vie morale. (Il est entendu qu'il s'agit uniquement de caractériser les grandes tendances morales et que l'histoire n'interviendra que pour fournir des exemples.)

La morale et la vie personnelle. La vie du corps et la vie de l'esprit. La dignité individuelle. Rapports de la moralité personnelle et de la vie sociale.

La morale et la vie domestique. La famille. La morale et la crise de la natalité.

La morale et la vie économique. La division du travail. La solidarité. La profession. La question sociale.

La morale et la vie politique. Liberté et égalité. L'Etat. La loi. Droits et devoirs civiques.

La patrie. La morale et les relations internationales.

L'humanité. Devoirs envers l'homme sans considération de race. Devoirs des nations colonisatrices.

PHILOSOPHIE GÉNÉRALE, LES GRANDS PROBLÈMES MÉTAPHYSIQUES

Les théories et la connaissance. Les principes de la raison.

La valeur de la science et l'idée de la vérité.
L'espace et le temps. La matière. La vie.
L'esprit. La liberté.
Dieu.

II. — *PROGRAMME A OPTION*

REMARQUE 1. — Le professeur devra choisir trois articles dans le programme suivant, qui comprend d'une part des questions complémentaires, d'autre part une liste des textes philosophiques à expliquer.

REMARQUE 2. — Les articles choisis par le professeur pourront être, tous les trois, des textes. L'un des trois au moins devra être un texte.

REMARQUE 3. — Quant aux questions complémentaires, il ne devra pas être consacré plus de six leçons à l'enseignement de chacune d'elles.

REMARQUE 4. — Une note écrite indiquant le ou les textes expliqués, et, s'il y a lieu, les questions complémentaires choisies, avec l'indication très sommaire des points étudiés, devra être remise à l'examinateur par le candidat au baccalauréat ou figurer sur le livret scolaire.

I. — QUESTIONS COMPLÉMENTAIRES

1. Histoire de la philosophie, sous l'une ou l'autre des formes suivantes :

a) Tableau d'ensemble indiquant la succession et les relations des doctrines et des écoles ;

b) Exposé historique, soit d'un grand problème, soit d'une grande doctrine, soit d'une grande époque de la philosophie.

2. Notions de psychologie expérimentale. Par exemple : ce qu'on fait dans un laboratoire de psychologie ; les tests ; les applications actuelles de la psychologie.

3. Notions de psychologie pathologique. Par exemple : les troubles de la personnalité ; les maladies du langage.

4. Notions d'esthétique.

5. Notions de logique formelle.

6. Notions de la science du langage. Par exemple : l'évolution des langues ; luinguistique générale.

7. Notions de sociologie.

II. — AUTEURS PHILOSOPHIQUES

Platon : *Phédon, Gorgias, la République* (un livre).
Aristote : *Morale à Nicomaque* (un livre), *la Politique* (un livre).
Epictète : *Entretiens* (un livre).
Marc-Aurèle : *Pensées.*
Lucrèce : *De natura rerum* (livre II ou livre V).
Descartes : *Discours de la méthode, Méditations, les Principes* (livre 1er).
Pascal : *Pensées et Opuscules.*
Malebranche : *De la recherche de la vérité* (livre 1er ou livre II), *Entretiens sur la métaphysique, Traité de morale.*
Spinoza : *Ethique* (un livre).
Leibniz : *Nouveaux essais* (avant-propos et livre 1er), *Théodicée* (extraits), *Monadologie, Discours de métaphysique.*
Berkeley : *Dialogues entre Hylas et Philonoüs, Traité sur les principes de la connaissance.*
Hume : *Traité de la nature humaine* (un livre).
Condillac : *Traité des sensations* (livre 1er).
J.-J. Rousseau : *Le Contrat social* (un livre), *la Profession de foi du vicaire savoyard.*
Kant : *Critique de la raison pure* (préface de la 2e édition), *Fondement de la métaphysique des mœurs.*
A. Comte : *Cours de philosophie positive* (leçons I et II) ; *Discours sur l'esprit positif.*
Renan : *L'Avenir de la science* (extraits).
Cl. Bernard : *Introduction à la médecine expérimentale* (1re partie).
Stuart Mill : *L'Utilitarisme.*
H. Spencer : *Les Premiers Principes* (1re part.) ; *Introduction à la science sociale.*
Cournot : *Matérialisme, vitalisme, rationalisme.*

INSTRUCTIONS DU 2 SEPTEMBRE 1925

Un des traits les plus importants qui caractérisent l'enseignement secondaire français est l'établissement, au terme des études, d'un enseignement philosophique élémentaire, mais ample et distinct, auquel une année est spécialement consacrée. Nous n'avons pas à justifier ici cette institution : elle n'est plus discutée aujourd'hui et n'a jamais été battue en brèche que par les gouvernements hostiles à toute conception libérale. Nous nous contenterons de rappeler le double service qu'on peut en attendre.

D'une part, il permet aux jeunes gens de mieux saisir, par cet effort intellectuel d'un genre nouveau, la portée et la valeur des études mêmes, scientifiques et littéraires, qui les ont occupés jusque-là, et d'en opérer en quelque sorte la synthèse

D'autre part, au moment où ils vont quitter le lycée pour entrer dans la vie, et, d'abord, se préparer par des études spéciales à des professions diverses, il est bon qu'ils soient armés d'une méthode de réflexion et de quelques principes généraux de vie intellectuelle et morale qui les soutiennent dans cette existence nouvelle, qui fassent d'eux des hommes de métier capables de voir au-delà du métier, des citoyens capables d'exercer le jugement éclairé et indépendant que requiert notre société démocratique.

I. — L'ESPRIT DE L'ENSEIGNEMENT PHILOSOPHIQUE

C'est pourquoi nous voulons que le mot de liberté soit inscrit au début même de ces instructions.

La liberté d'opinion est dès longtemps assurée au professeur et il paraîtrait aujourd'hui contradictoire avec la nature même de l'enseignement philosophique qu'il en fût autrement. Cette liberté, sans doute, comporte les réserves qu'imposent au professeur son tact et sa prudence pédagogique, c'est-à-dire en somme le respect qu'il doit à la liberté et à la personnalité naissante de l'élève. Le maître ne peut oublier qu'il a affaire à des esprits jeunes et plastiques, peu capables encore de résister à l'influence de son autorité, disposés à se laisser séduire par les formules ambitieuses et les idées extrêmes. La jeunesse, non encore lestée par la science et l'expérience personnelle, verse volontiers dans les doctrines qui la frappent par leur nouveauté ou leur caractère tranchant. C'est au professeur d'aider les jeunes gens à garder l'équilibre, en l'observant pour son propre compte.

De même, si personne ne lui conteste le droit de faire transparaître, sur toutes les questions litigieuses, ses conclusions personnelles et de les proposer aux élèves, encore faut-il qu'il ne leur laisse jamais ignorer l'état réel des problèmes, les principales raisons invoquées par les doctrines qu'il rejette, et les opinions qui s'imposent à tout homme de notre temps.

Le sens même de la liberté doit donc le prémunir contre tout dogmatisme. De leur côté, c'est dans la classe de philosophie que les élèves font l'apprentissage de la liberté par l'exercice de la réflexion, et l'on pourrait même dire que c'est là l'objet propre et essentiel de cet enseignement. Sans doute, il ne faut pas méconnaître la valeur intrinsèque des connaissances qu'il va leur fournir ; cependant et par la nature même de ces études et par les bornes que l'âge des élèves y impose, elles ont surtout une valeur éducative. En un sens elles sont nouvelles pour eux au point de les étonner au début et quelquefois de les dérouter. Pourtant, elles ont des attaches profondes dans leurs acquisitions antérieures, scientifiques ou littéraires, et dans leur propre expérience psychologique ou morale. Pour une bonne part, les jeunes gens sont donc surtout appelés à mieux comprendre, à interpréter avec plus de profondeur ce que, en un sens, ils savent déjà, à en prendre une conscience plus lucide et plus large. En tout cas, c'est à ce point de vue que le professeur se placera volontiers dans la période d'initiation. Il ne faudrait pas que l'étonnement fécond qu'un jeune homme éprouve au premier contact avec la philosophie risquât de dégénérer en découragement. Ce doit être surtout, comme Socrate l'avait profondément senti, l'étonnement de reconnaître qu'on ignorait ce qu'on croyait savoir, de découvrir des obscurités et des problèmes là où l'on se croyait en présence d'idées claires et de faits simples.

C'est dire que dans ce domaine plus que dans tout autre, le sens pédagogique du professeur consistera tout d'abord à savoir faire leur part à deux principes opposés. D'un côté il devra être animé d'une certaine confiance dans l'intelligence des élèves et la leur manifester. Il n'est guère ici de problème ou de conception qui soient obscurs en soi, comme il arrive dans certaines sciences spéciales. Il dépend en grande partie de l'habileté du professeur dans l'expression, la présentation et l'application des idées philosophiques, de les rendre accessibles à la moyenne des esprits, comme aussi il y a une façon rébarbative, abstraite ou compliquée de les exposer, qui les rendra insaisissables ou du moins stériles, même pour les plus intelligents.

Mais inversement le professeur n'oubliera pas le peu de maturité, d'ampleur et d'expérience d'un cerveau de dix-huit ans. Il se défiera en particulier de ce qu'on pourrait appeler la « clarté verbale » des formules. Car, comme un enfant croit comprendre la fable de La Fontaine qu'il sait par cœur, le jeune philosophe s'imagine volontiers qu'il saisit l'idée parce qu'il connaît les termes. Or, si rarement les mots, les linguistes y ont insisté, ont un sens fixe et absolu, si leur vraie portée dépend du contexte qui les enveloppe, combien cette remarque ne vaut-elle pas plus encore pour le langage philosophique, si imprécis quand il vient de la langue commune, si mal fixé quand il devient langue technique ?

C'est pourquoi rien n'est plus redoutable, dans l'enseignement philosophique, que l'abus de l'abstraction. Les jeunes gens, nous l'avons indiqué, s'y complaisent volontiers et s'en contentent facilement. Le professeur aura donc un constant souci d'éviter toute scolastique, tout débat sur des questions dont le sens concret, les rapports avec l'expérience et la réalité n'auraient pas été mis en lumière. Il lui faudra tâcher d'exprimer en termes familiers, ou tout au moins dans le langage de la vie normale commune, du droit, de l'histoire, de la science positive, les formules générales sous lesquelles la tradition philosophique et arrivée à présenter certains problèmes. Et quand l'élève, déjà entraîné à l'emploi de cette phraséologie philosophique et peut-être un peu fier de cette acquisition nouvelle, viendra en user avec complaisance, il faudra s'assurer de ce qu'il met sous ce langage spécial. l'obliger à le traduire en faits, en exemples, en applications. *Pas de faits sans idées,* voilà sans doute ce qui caractérise une culure philosophique. Mais *pas d'idées sans faits,* c'est la règle pédagogique qui s'impose si l'on veut que cet enseignement soit vraiment accessible et surtout profitable à des esprits novices.

Par suite, ce qui apparaîtra essentiel au professeur, ce sera, plutôt que la discussion de « thèses » et les débats d'école, la *position* même des questions. Elles doivent se présenter, non comme le produit artificiel de la tradition particulière au monde des philosophes, non comme résultant du heurt de certaines « catégories ou de certains partis pris décorés de quelque nom de système, mais comme issues de la réalité elle-même, morale ou physique, et des obscurités qu'elle présente à qui veut la rendre intelligible. Les « doctrines », lorsqu'on croira utile cependant de les faire connaître, apparaîtront alors comme l'expression des divers points de vue possibles sur la question étudiée. Elles aideront à classer les idées tirées des choses mêmes, et prendront ainsi toute leur valeur.

Rien n'est plus propre à fausser la pensée, à détourner de toute réflexion sérieuse, à dégoûter les esprits solides d'une philosophie où ils ne verraient qu'une vaine éristique, que ces interminables « revues » d'opinions diverses et contraires sur des problèmes à peine énoncés. De telles « revues », peu instructives en raison de leur inévitable brièveté et de l'impossibilité où l'on se trouve le pus souvent de les appuyer sur une étude directe des textes originaux, surchargent la mémoire sans éclairer l'esprit.

C'est pourquoi, aussi, le professeur ne négligera pas les occasions que le programme lui offre si nombreuses, de mettre la culture philosophique en relation avec les problèmes réels que pose la vie morale, sociale, économique des milieux où le jeune homme est appelé à vivre. S'il ne doit pas avoir l'impression que la réflexion philosophique se meut dans un monde à part, sans relation avec celui de la science ou celui de la vie, pourquoi craindrait-on d'aborder devant lui les questions d'« actualité » ? Ne vaut-il pas mieux les éclairer à la lumière sereine de la pensée désintéressée que d'attendre le moment des passions, sous l'influence des préjugés sociaux, sous la pression des intérêts, toutes causes d'aveuglement auxquelles, dans une grande mesure, notre élève a encore l'heur d'échapper. Ce n'est nullement introduire la politique dans nos classes que d'y parler des conditions économiques de la vie moderne, des œuvres d'entraide et de prophylaxie sociales, de l'état démographique de notre pays, de la crise de la natalité, etc. A quel moment plus favorable nos jeunes gens commenceraient-ils à acquérir le sentiment, et un sentiment réfléchi, de leurs tâches prochaines, qu'à cet âge où l'âme est naturellement généreuse, mais a aussi besoin d'être prémunie contre la légèreté du jugement et contre l'utopie ?

II. — LA MÉTHODE

Le professeur est libre de sa méthode comme de ses opinions. Les instructions présentes ne font ici que confirmer les instructions antérieures : une même méthode ne peut convenir également à toutes les questions ni à tous les professeurs.

L'ordonnance du cours, les programmes le disent expressément, est laissée à la convenance du professeur. Tel peut avoir ses raisons pour rapprocher des questions qu'un autre dissociera, ou pour aborder son cours par un côté ou par un autre. Ce pourra même être une pratique profitable de poursuivre parrallèlement deux parties différentes du cours, par exemple psychologie et morale, logique et métaphysique, etc. Les élèves y trouveront plus de variété, et le professeur plus de facilité pour certains rapprochements utiles.

La seule exclusion antérieurement formulée, et que nous devons aussi confirmer, c'est celle du cours dicté. Mais il peut être utile de dicter soit un court *résumé* après la leçon, soit plutôt encore un bref *sommaire,* qui, fourni avant l'exposé oral, permet aux élèves de le bien suivre, en se rendant compte du plan et des articulations qu'il comporte. C'est le complément indispensable du cours librement parlé et plus propre à économiser le temps. Un tel sommaire, réduit à une quinzaine de lignes, pourrait même être donné autographié aux élèves de façon à éviter toute dictée.

Pour la leçon elle-même, la méthode socratique pure aurait des avantages pédagogiques très certains. Mais il ne faut pas oublier que c'est de beaucoup la plus difficile à manier. Elle exige de la part du professeur des qualités exceptionnelles de sobriété dans la parole, de fermeté et de netteté dans la pensée, de prestesse d'esprit pour mettre à profit les réponses et parer aux objections ; en fin de compte, elle suppose chez lui une grande autorité et un prise parfaite sur ses élèves. D'autre part, elle ne peut convenir qu'à des classes relativement peu nombreuses et contenant un nombre suffisant, d'élèves intelligents et zélés, capables d'entraîner le reste. Enfin, alors même que toutes ces conditions sont réunies, c'est en tout cas une méthode lente, profitable assurément à l'éveil des esprits, mais dont la surcharge croissante des programmes tend à détourner de plus en plus les professeurs. Elle ne saurait donc, malgré sa valeur théorique, être pratiquement conseillée d'une manière générale ni sans réserves.

Toutefois, même alors qu'on en adopte une autre, il est nécessaire de conserver quelque chose des avantages de la méthode socratique. Même si la leçon est faite *ex cathedra,* le professeur doit associer autant qu'il le peut ses élèves au mouvement de sa pensée, à l'effort d'une recherche qui doit se présenter à eux comme une recherche présente. La mesure et la forme de cette collaboration de la classe avec le maître peuvent varier à l'infini. Elle sera plus ample s'il s'agit de problèmes de psychologie ou de morale, sur lesquels les jeunes gens peuvent avoir ou croire qu'ils ont déjà quelques lumières. Elle sera plus restreinte si l'on aborde des questions plus difficiles ou plus techniques. Mais il est toujours possible et utile, ne serait-ce que pour détendre et renouveler l'attention, que le professeur s'interrompe de temps en temps pour s'assurer qu'il est compris et suivi. Il provoquera certains rapprochements d'idées, fera découvrir des exemples, ou mieux encore, dans la mesure où il sait avoir affaire à des élèves intelligents et sérieux, il suscitera des questions et des objections. Mais jamais sa leçon ne devra revêtir la forme d'une conférence où l'auditoire reste passif. Quelle que soit sa façon de procéder, le professeur ne remplirait véritablement sa fonction s'il ne mettait pas les élèves en état de *penser réellement* ce qu'il est en train d'exposer, et ne s'assurait pas qu'ils réussissent. D'ailleurs, il les repose de l'effort souvent difficile de suivre une pensée qui leur vient du dehors, et l'appel ainsi fait à leur spontanéité intellectuelle leur sera agréable autant qu'utile. En se montrant accueillant aux questions comme aux réponses souvent naïves ou gauches d'esprits novices, en s'efforçant d'en tirer le meilleur parti, en évitant surtout d'écarter ou de décourager par l'indifférence ou surtout par l'ironie une tentative modeste de réflexion personnelle, le professeur, en même temps qu'il donne une marque appréciée de bonté, met de la vie dans sa classe ; il fait communiquer les esprits, il développe à la fois la personnalité et le sens social des élèves, il fait œuvre d'éducateur.

L'usage d'un manuel ne saurait, en lui-même, constituer une méthode acceptable. A s'abriter derrière un livre, le professeur perdrait son autorité en abdiquant sa personnalité. Ce n'est donc qu'accidentellement qu'il pourra recourir à un manuel, soit pour compléter son cours sur les points où lui-même ne revendique aucune originalité, soit pour se gagner un peu de temps. Même dans le cas où, sous la forme d'un cours dactylographié, par exemple, c'est son œuvre même que le professeur remettrait entre les mains de ses élèves, cela n'irait pas sans quelques inconvénients. Il risque d'être lui-même trop enchaîné à son texte et d'être gêné dans l'effort de rénovation que suppose toujours un enseignement vraiment actif. L'élève, de son côté, fort du texte sûr qu'il possède, se désintéressera souvent de ce qui se fera en classe. Une telle pratique n'est donc favorable ni au progrès personnel, ni à l'autorité pédagogique du maître. Rien ne vaudra jamais ici, la transmission directe et vivante de la pensée par la parole, où vraiment les esprits communiquent.

Dans la mesure enfin où le professeur est obligé d'exposer sa pensée *ex professo,* il est inadmissible que les élèves ne prennent aucune note. On se met alors, en effet, dans la nécessité de répéter sous la forme d'une dictée trop étendue, ce qu'on a déjà dit avec plus d'ampleur et de liberté. Il en résulte une perte regrettable de temps, et aussi de profit : car, dans ces conditions, l'élève risque fort d'oublier les développements qu'il aura passive-écoutés sans rien dire et sans rien écrire. De la leçon, il ne conservera qu'un insuffisant résumé dont il croira toujours pouvoir se contenter.

Beaucoùp de professeurs se montrent injustement sceptiques sur l'aptitude des élèves à prendre utilement des notes. Nous pouvons affirmer, au nom de l'expérience, qu'au contraire tous peuvent y arriver d'une manière convenable. Il suffit que, dès le début, le professeur y dresse ses élèves, et qu'il conserve toujours dans l'improvisation la plus libre cette netteté d'élocution, cet accent de la parole, cette variété de débit, tantôt plus lent, tantôt, plus rapide, suivant l'importance du développement, grâce auxquels l'auditeur pourra discerner l'essentiel de l'accessoire, et, sans sténographier, suivre la leçon avec une fidélité intelligente. Que ces notes soient révisées et complétées après la classe, au moment même où l'on étudiera la leçon, et l'élève aura ainsi, sans perte de temps, une série de véritables rédactions qui seront son instrument personnel de préparation au baccalauréat. Ce *cours,* le professeur en devra contrôler d'une façon suivie la bonne tenue. Qui dit contrôle ne dit pas correction, mais simple prélèvement d'échantillons, surveillance constante du travail de l'élève, sans quoi les meilleurs se relâchent. Le contrôle est une des fonctions pédagogiques les plus essentielles et l'on a le regret de constater qu'elle est souvent trop négligée.

La lecture est ici, autant et plus peut-être qu'ailleurs, le complément indispensable de l'enseignement. Le professeur se préoccupera de constituer dans sa classe une bibliothèque philosophique alimentée par les cotisations de ses élèves, et encouragera cette manifestation de solidarité entre les générations successives. Il développera le goût de l'étude et de la recherche personnelles. Il guidera méthodiquement le choix des lectures. La curiosité des jeunes gens, bien qu'il faille lui faire quelque crédit, ne va pas toujours à ce qui peut leur être le plus utile et le plus assimilable. Par leur contenu, ces lectures doivent à chaque moment être adaptées aux matières étudiées, par leur difficulté être en rapport avec l'intelligence et le degré de préparation de chacun.

Il ne semble pas que l'interrogation doive jamais être, dans la classe de philosophie, une simple récitation de la leçon. Le professeur devra sans doute en user d'abord pour s'assurer que le cours a été révisé et étudié après la classe, mais surtout qu'il a été compris et assimilé. Une bonne interrogation est celle qui renouvelle et complète la leçon, qui en dégage les idées et les conclusions essentielles, qui cherche à provoquer chez les élèves des questions, des objections, une réaction personnelle.

On peut faire une certaine place aux exposés d'élèves ; une place discrète toutefois, parce que, sur ce point, il faut compter non seulement avec le peu d'expérience même des meilleurs, mais avec le peu de confiance qu'un camarade inspire à ses camarades. Mais enfin ce peut être incidemment un exercice utile, que nous ne voudrions pas plus proscrire que conseiller sans réserves. Le professeur reste juge. Il serait à souhaiter que la sollicitation vînt des élèves eux-mêmes : tel s'est personnellement intéressé à une question et désire faire part de sa pensée ; tel autre aura senti vivement la valeur d'un ouvrage et aimera à communiquer à ses camarades le profit de sa lecture. On ne voudra pas encourager ce zèle intellectuel.

A l'interrogation proprement dite peuvent s'ajouter quelques exercices voisins qui la complètent. Par exemple, on pourra mettre à l'étude une question sur laquelle tous auront à réfléchir et qui donnera lieu, à une date fixée, à un entretien, à une sorte de dissertation orale où chacun aura son mot à dire, où peut-être surgira une controverse en règle, dans laquelle, sous la direction et l'arbitrage du professeur, deux protagonistes défendront leur thèse.

En tout ceci, nous ne voulons que faire sentir la variété des exercices que comporte une classe de philosophie et qui sont propres à y apporter de la vie, à accentuer l'intérêt directe que les élèves peuvent y prendre. Le professeur n'y sera pas seul à parler et n'y imposera pas une pensée toute faite sans collaboration active de ses auditeurs. L'enseignement philosophique perdrait le plus précieux de sa valeur s'il était reçu avec indifférence et passivité, comme une simple matière d'examen.

Les dissertations doivent tendre à un but analogue. Les sujets en seront choisis de manière à permettre une utilisation du cours sous un aspect nouveau, mais à en exclure une reproduction littérale. Si, même au baccalauréat, on tend de plus en plus à éviter la simple « question de cours » trop favorable à la pure mémoire et à poser de préférence un « problème » philosophique nouveau qui exige l'intervention de la réflexion personnelle et en donne la mesure, à plus forte raison doit-il en être ainsi dans la classe. Ici, plus évidemment encore, la dissertation ne saurait se réduire à vérifier les connaissances acquises : elle doit exercer les jeunes gens à élaborer les idées, à les exposer avec ordre, à composer et rédiger.

La dissertation est la forme la plus personnelle et la plus élaborée du travail de l'élève de philosophie. C'est là que se mesure pleinement son intelligence. Aussi est-il nécessaire qu'elle soit bien adaptée. C'est pourquoi surtout dans la seconde partie de l'année, il sera bon de donner plusieurs sujets, non seulement pour permettre de multiplier les questions traitées, mais aussi pour graduer et diversifier les difficultés, qui ne sont pas identiques pour tous. Un travail manqué est peu profitable et il est désirable que chacun se trouve en présence d'une tâche qu'il puisse bien faire et pour laquelle il puisse se sentir quelque goût. Pour la même raison, il ne sera pas mauvais de « préparer » les sujets proposés, du moins les plus difficiles, pour en dégager le véritable sens et en faire sentir l'intérêt. Cette « préparation » qui est couramment pratiquée pour bien d'autres exercices scolaires, est ici plus utile encore. Il est très difficile de formuler un texte qui pose très exactement la question que le professeur a en vue. A plus forte raison, les novices peuvent-ils souvent se méprendre sur le sujet à traiter, donner tout à fait à côté, reprendre des banalités sans intérêt, perdre leur temps à réfuter des thèses écartées ou hors de cause, faire fond sur des postulats courants, mais arbitraires. Le premier soin du professeur doit donc être d'éviter ces écarts aux élèves, de leur apprendre à analyser le texte d'un problème, à situer et à circonscrire une question. Si, à l'examen, le candidat est abandonné à lui-même, il faut bien commencer par lui fournir la méthode dont il a besoin pour ce moment et lui en montrer les applications.

Dans l'exécution, le professeur tiendra la main non seulement, bien entendu, à la correction de la langue, mais à la composition, qui, en philosophie, peut avoir un caractère plus rigoureux que dans les matières purement littéraires. Il exigera que la dissertation repose sur un plan brièvement formulé. Il enseignera la nécessité et les moyens *d'introduire* la question au lieu de la poser de but en blanc ; il habituera l'élève à présenter sous la forme la plus pausible et la plus forte les thèses qu'il prétend combattre, ce qui est à la fois une affaire de loyauté critique et la condition d'une solide discussion. Il lui fera sentir inversement la convenance d'une attitude prudente et d'une expression modeste dans les conclusions. S'il est déplaisant de voir des jeunes gens de dix-sept ans trancher avec hauteur des problèmes devant lesquels des esprits plus mûrs et plus vigoureux peuvent hésiter, ce n'est pourtant pas une raison pour qu'ils renoncent à prendre un parti, à exprimer avec netteté une décision cohérente à leur discussion. La modestie qui sied à leur âge ne revêt pas nécessairement la forme du scepticisme et de l'indifférence.

La fréquence des dissertations pourra varier suivant les circonstances, le nombre et la valeur des élèves, les lectures personnelles dont ils se montreront capables ? On peut approuver, dans certains cas, l'alternance d'un simple plan et d'une dissertation en forme.

III. — LA MATIÈRE DE L'ENSEIGNEMENT

La matière de l'enseignement n'appellera que peu d'observations : à ce point de vue, les programmes sont assez explicites. Sur certains points cependant, quelques explications paraissent utiles.

On remarquera d'abord que, dans le programme nouveau de la classe de philosophie, une place un peu plus étendue est faite à la métaphysique. La brièveté de l'ancien programme sur ce point semblait inviter le professeur à se contenter d'un minimum, bien qu'assurément il lui restât loisible de s'étendre sur des questions, qui, de leur nature, sont si amples. C'est avec intention, pourtant, qu'on a, cette fois, dans la rédaction même du nouveau plan d'études, visé à mieux faire sentir cette ampleur, en rapprochant des questions précédemment dispersées, ou en leur rendant leur véritable caractère. Il y a sans doute une forme de métaphysique surannée et peut-être verbale qui n'est pas à encourager, surtout auprès de jeunes esprits. Certains professeurs, envisageant sous cet aspect cette partie du cours, peuvent être naturellement tentés de ne lui accorder qu'un intérêt tout historique et rétrospectif. Mais nous ne sommes plus au temps où une antithèse aiguë et radicale était établie entre la métaphysique et la science positive. Elles nous paraissent beaucoup plutôt s'être rapprochées. Le philosophe n'est plus étranger à la science ni défiant à son égard, et les savants, en raison même des progrès récents, ont acquis en général un sentiment plus net et plus vif que leur science, au moment où, sans avoir touché sa borne, elle est obligée de s'arrêter, suscite des questions que ni l'observation ni la démonstration rigoureuse ne peuvent résoudre, et qui pourtant s'imposent à l'esprit. La métaphysique peut donc, et doit par suite être abordée dans un esprit parfaitement harmonique, sinon identique, à celui de la science.

Les programmes nouveaux, d'autre part, n'ont pas cru devoir rétablir un cours distinct d'histoire de la philosophie. Les motifs qui en avaient amené la suppression subsistent. Ce n'est pas seulement le manque de temps, plus sensible aujourd'hui que jamais, mais c'est surtout que l'exposition des systèmes, forcément réduite à une excessive brièveté, perdait par là toute valeur éducative. Sous la double influence déformante de cette inévitable superficialité et de l'inexpérience des jeunes gens, les plus hautes doctrines d'un Platon, d'un Malebranche, d'un Leibniz, risquaient d'apparaître sous un aspect inintelligible ou même caricatural. Quoi de plus fâcheux qu'une telle impression chez les jeunes gens qu'il est bon d'habituer au respect des grandes manifestations de la pensée ? C'est dire en quel sens doit être compris l'article du programme à option ainsi libellé : « Tableau d'ensemble très sommaire indiquant la suite chronologique et les relations des doctrines et des écoles. » Ce n'est à aucun degré une exposition des systèmes qui est visée par là. Il s'agit uniquement d'un travail de coordination historique et théorique des doctrines que le cours aura eu l'occasion de faire connaître, mais d'une façon nécessairement tout à fait dispersée.

Quant à l'« Exposé historique d'un grand problème..., etc. », il visera justement à faire, sur un point limité, ce qu'il serait impossible de faire sur l'ensemble de l'histoire de la pensée, et à initier ainsi, autant que l'enseignement élémentaire le permet, les jeunes gens à ce que peuvent être dans ce domaine la méthode et l'intérêt d'une étude historique. C'est pourquoi aussi, dans le choix de semblables questions, le professeur soucieux de la portée éducative de son enseignement évitera de s'arrêter à des auteurs ou à des problèmes de second ordre. Il s'attachera au contraire à quelqu'un de ces grands noms qui dominent un siècle et tout un mouvement philosophique, ou à telles questions primordiales dont la solution décide de toute l'orientation de la pensée.

Dans le choix enfin de toute matière à option, le professeur saura faire leur juste part et aux motifs tirés de l'intérêt intellectuel des élèves et à ceux qui dérivent de sa compétence propre sur un point déterminé. Car il est utile à la classe comme au maître que celui-ci puisse en quelque mesure donner satisfaction à ses préférences, et continuer à se cultiver dans une certaine direction, en donnant par cela même aux élèves l'exemple d'une pensée personnelle et un peu approfondie. D'ailleurs, il n'est peut-être pas inutile de faire remarquer que, même dans cette étude particulière de problèmes peu restreints, le professeur ne devra jamais perdre de vue l'œuvre d'éducation et de culture générale qui lui incombe. Il faudra donc qu'il se défie d'une érudition qui aurait sa fin en elle-même, d'un vain luxe de noms propres, d'indications bibliographiques ou techniques, de discussions méthodologiques, qui ne pourraient que rebuter la grande majorité des élèves, sans grand profit pour le développement véritable de l'esprit.

CONCLUSION

Telle est la conception que nous nous faisons de l'enseignement philosophique. Développer les facultés de réflexion des jeunes gens, les mettre en état et surtout en disposition de juger plus tard par eux-mêmes, sans indifférence comme sans dogmatisme, leur donner sur l'ensemble des problèmes de la pensée et de l'action des vues qui leur permettent de s'intégrer vraiment à la société de leur temps et à l'humanité, voilà quelle est, au fond, la fonction propre du professeur de philosophie. Il n'en est de plus belle et il ne saurait s'en faire une idée trop élevée ni trop large. Mais, pour la bien remplir, il faut qu'il sache adapter une si haute ambition au sentiment des moyens modestes dont il dispose, se mettre à la portée des esprits neufs qu'il doit mûrir, s'en faire aimer pour les mieux comprendre et les mieux servir, gagner enfin leur confiance par cette sincérité et cette spontanéité qui touchent si facilement la jeunesse.

(A. de Monzie.)

PROGRAMME DE 1942
CLASSE DE PHILOSOPHIE

9 heures

INTRODUCTION. — Objet et divisions de la philosophie. L'enseignement de la philosophie et la réflexion sur l'expérience concrète : l'esprit philosophique.

PSYCHOLOGIE

Objet et méthodes de la psychologie. Caractère des faits psychologiques : leurs relations avec les faits physiologiques. Le point de vue introspectif et le point de vue objectif.

La conscience et les degrés de la conscience.

Mouvements et tendances. Plaisirs et douleurs. Emotions. Passions. Sentiments.

Sensations et images : le problème de la perception.

Association des idées. Mémoire. Imagination.

L'abstraction et la généralisation. Les signes, le langage et la pensée.

Le concept et le jugement. Le raisonnement.

L'instinct et l'intelligence. L'habitude. La volonté. La conscience de l'effort. L'attention.

La personnalité et le caractère.

Problèmes métaphysiques posés par la psychologie.

Notions sommaires sur la psychologie de l'enfant. — Les étapes du développement mental et moral de l'enfant.

Puissance de l'imitation et rôle de l'exemple dans la famille, à l'école, dans la société. La discipline.

LOGIQUE

L'étude psychologique et l'étude logique de la pensée. Les procédés généraux de la pensée. Intuition et connaissance discursive. Déduction et induction. Analyse et synthèse. La science et l'esprit scientifique.

Les mathématiques : objet et méthode. Leur rôle actuel dans l'ensemble des sciences.

Les sciences expérimentales : l'établissement des faits ; la découverte et la vérification des lois ; les principes. Les théories. Quelques exemples des grandes théories de la physique, de la chimie ou de la biologie modernes.

Les sciences morales ; la psychologie, l'histoire, la sociologie. Leurs méthodes comparées à celles des sciences de la nature.

MORALE

Le problème moral. Les éléments constitutifs de la moralité ; la nature psychologique de l'agent moral et sa dépendance à l'égard du milieu (famille, profession, patrie).

La conscience psychologique, la conscience morale et la notion de valeur.

Rapports de la morale avec la science, la métaphysique et la religion.

Les fins de la vie humaine et les grandes conceptions de la morale.

Le bien ; le progrès moral ; les devoirs et le droit ; leur corrélation. La responsabilité et le problème des sanctions.

La justice et l'égalité des personnes ; la charité.

L'expérience morale et les conflits de devoirs.

Les devoirs de l'individu envers lui-même ; les devoirs relatifs à la vie du corps et de l'esprit. Rapports de ces devoirs avec les exigences de la vie en commun. La dignité de la personne.

La famille : son importance sociale et morale. Le respect de la famille. L'autorité dans la famille. Devoirs des parents et des enfants. Devoirs réciproques des époux. Le problème de la natalité.

La patrie : ses éléments matériels et spirituels. Les sentiments qu'elle inspire et les devoirs qu'elle impose ; l'esprit de sacrifice. La Nation, l'Etat et son autorité ; la loi. La liberté de l'individu et ses devoirs civiques.

La profession. Le devoir et l'amour du travail ; la conscience professionnelle, l'esprit de solidarité et leur importance nationale. La probité. La propriété et le travail.

L'humanité ; devoirs envers l'homme. Devoirs des nations colonisatrices.

Philosophie générale (sans changement).

Options ; questions complémentaires (sans changement).

Auteurs (sans changement).

PROGRAMME DE 1960
CLASSES DE TERMINALE A

8 heures

N.B. — L'ordre et les divisions du programme n'enchaînent pas la liberté du professeur ; il suffit que les questions qui y figurent soient toutes traitées.

La culture humaine : technique, art, religion, science.

La philosophie : sa nécessité et son but. Réflexion et sagesse. La conscience. L'attention. Le problème de l'inconscient.

LA CONNAISSANCE

La perception. L'espace. La réalité du monde sensible.

La mémoire. Le temps.

L'imagination.

Le langage.

L'intelligence. Le concept. Le jugement.

La pensée logique. Le raisonnement et ses normes. La raison.

La pensée scientifique. Science et technique.

Les mathématiques.

La connaissance expérimentale : faits, lois, théories.

L'histoire et le devenir historique.

Les problèmes particuliers à la biologie ; à la connaissance de l'homme (psychologie, sociologie).

La vérité.

La matière. La vie. L'esprit. Dieu.

L'idée d'une connaissance métaphysique.

L'ACTION

Sensibilité et activité.
Les affections : le plaisir, la douleur ; l'émotion, la passion, le sentiment.
La tendance et le désir. L'habitude. La volonté.
Le caractère. La personnalité.
La reconnaissance d'autrui et les rapports entre les personnes. Techniques et indutrie. Métiers, outils, machines.
L'art. La création artistique. La contemplation esthétique.
Le beau. La nature et l'art. Les beaux-arts.
La vie morale. La conscience. L'expérience morale. Le devoir. La responsabilité.
Le bien et le mal. Les vertus.
Les grandes conceptions de la vie morale (quelques exemples).
Moralité et institutions. Le respect de la personne. La justice et le droit.
La famille.
Le travail et la question sociale.
L'Etat. Les grandes doctrines politiques (quelques exemples).
La nation. Les relations internationales. La patrie et l'humanité.
L'idée de civilisation.

Le problème de la liberté. L'être et la valeur.
L'homme et sa destinée.

AUTEURS

N.B. — Trois textes choisis dans la liste suivante devront être étudiés au cours de l'année, l'un au moins en totalité. Une note écrite indiquant les textes expliqués figurera sur le livret scolaire ou sera remise à l'examinateur par les candidats sans livrets.
Platon: *Apologie de Socrate, Ménon, Gorgias, Phédon, la République, Théêtête.*
Aristote : *Ethique à Nicomaque, la Politique.*
Epictète : *Entretiens, Manuel.*
Marc Aurèle : *Pensées.*
Lucrèce : *De Natura rerum* (livres II, III ou V).
Saint Augustin : *les Confessions* (livres X et XI).

Machiavel : *le Prince.*
Montaigne : Essais.
Descartes : *Discours de la méthode, Méditations métaphysiques, Principes de la philosophie* (partie I), *les Passions de l'âme, Lettres sur la morale.*
Pascal : *Opuscules, Pensées.*
Spinoza : *Ethique, Traité de la réforme de l'entendement, Lettres.*
Malebranche : *Recherche de la vérité, Entretiens sur la métaphysique et la religion, Traité de morale.*
Leibniz : *Nouveaux essais, Discours de métaphysique, Monadologie.*
Berkeley : *Dialogue entre Hylas et Philonoüs, les Principes de la connaissance humaine.*
Hume : *Traité de la nature humaine, Essai sur l'entendement humain, Dialogues sur la religion naturelle.*
J.-J. Rousseau : *le Contrat social, la Profession de foi du vicaire savoyard.*
Kant : *Critique de la raison pure, Prolégomènes à toute métaphysique future, Fondements de la métaphysique des mœurs, Critique de la raison pratique, Critique du jugement.*
Maine de Biran : *Essai sur les fondements de la psychologie.*
Hegel : *Leçons d'esthétique.*
Comte : *Cours de philosophie positive* (Ire et 2e leçon), *Discours sur l'esprit positif. Discours préliminaire sur l'ensemble du positivisme.*
Marx et Engels : *l'Idéologie allemande* (Ire partie), *le Manifeste communiste.*
Claude Bernard : *Introduction à l'étude de la médecine expérimentale.*
J.-S. Mill : *l'Utilitarisme.*
Cournot : *Matérialisme, vitalisme, rationalisme, Considérations sur la marche des idées et des événements dans les temps modernes.*
Nietzsche : *la Généalogie de la morale. Par-delà le bien et le mal, la Naissance de la tragédie, Ainsi parlait Zarathoustra.*
Lachelier : *Psychologie et Métaphysique.*
Bergson : *Essai sur les données immédiates de la conscience, l'Energie spirituelle, la Pensée et le Mouvant, les Deux Sources de la morale et de la religion.*
Alain : *le Système des beaux-arts.*

TABLE DES MATIÈRES

Achevé d'imprimer le 31 Août 1972
sur les presses de l'Imprimerie L. P.-F. L. DANEL
Loos (Nord)

N° d'édition 514, 4e trimestre 1972
Dépôt légal n° 7821, 3e trimestre 1972
Imprimé en France